原点が存在する

谷川雁

目次

I

原点が存在する

まるでワグナア歌劇の装置を思わせた。みすぼらしい寝衣にふくれて、私は谷の横倒しにされた栗の木に腰をおろしていた。銀河ほどの幅に空をのこしたまま両岸に茂りあう樹木と渇ききった砂が作りだす洞窟——気流は封をきった手紙の読みおえた一枚々々を下手にとばした。入院中の私にとって、そこは非合法の聖所であり、ときに警察が追及する文書をつめたく透きとおる心でひらくこともあった。三年前のことである。

K・Yの手紙。或る新聞の学芸部に一脚の椅子をもつ男。花言葉をつければ彼は「にがにがしい善意」だ。精神鑑定書なら「ジャアナリズムと詩の相乗作用」と記入すべきだ。新聞記事も詩も過ぎゆく時間がうんだ現象にすぎぬと心得ているうちに、信仰を抱きまたうちくだいた。いまは不定形の戦闘心だけが陰影にまぎれて残っている——

飲みかけのコーヒーのようなインクで

――いまやわが国のありとある「詩人」に向って新仮名使いに対する賛否をはじめ再軍備是か非かにいたるまでアチーヴメント・テストを行う必要がある。

――日本詩人に対する百問というのを考えてほしい。

彼がきまじめになるとき、やや教化趣味があらわれるのはなぜだろう。読み終えてマッチをすった。葉漏れ日のために炎はほとんど色がなかった。

※

私はK・Yの原則に賛成した。けだし詩とは留保なしのイエスか、しからずんば痛烈なノウでなければならぬ。詩が来らんとする世界の前衛的形象であるかぎり、その証明は詩人の血をもって明らかにせねばならぬ。

詩人とは何か。

まだ決定的な姿をとらず不確定ではあるが、やがて人々の前に巨大な力となってあらわれ、その軌道にひとりびとりを微妙にもとらえ、いつかその人の本質そのものと化してしまう根源的勢力……花々や枝や葉を規定する最初のそして最後のエネルギイ……をその出現に先んじて、その萌芽、その胎児のうちに人々をして知覚せしめ、これに対処すべき心情の基礎を与える人間ではないか。やがて支配的となるにちがいない新しい心情の発見者、それが詩人だ。

このような人間が保守的な世界に一票を投ずる可能性があると考えることは二重に困難なことである。第一に古くなってしまった力は根源的ではありえない。第二に根源的でないものは創造的ではない。だから進歩的なものに「尾をふる」者は――詩人ではない、ということも成り立つ。

K・Yの形式にしたがえば、私の第一問はこうである。

汝、尾をふらざるか。

※

頬白が一羽あたまをかすめた。

思うに人間の思想は幾度か転向しさえすることがある。何をもってその者最後の思想と呼ぼうか。時はなにがしかの魔力で人間からその思想をひきはがし固定する。そのときはじめて人は一瞬の己が影に責任をもたねばならなくなる。誰に向って?

おそらく私達が漠然と感じているよりももっと多くの人々であろう。思想は一種のエネルギイである。エネルギイは不滅である。私は日々まわりの愛する者たちへ無数のイエスとノウを投げつける。しばしばそれは自分自身へこだまする。巨大なノウが響きわたる。私はうちのめされる……

人々は遠くにいるのだ。そして私を動かしているのだ。彼等はそうする権利がある。なぜなら私も彼等を動かすのだから。

彼等――それはいったい何者なのか。口も聞かず手も触れないのに、私の死すら支配している彼等は。

メフィスト……その事を話すのは一体不可能なのだ。それは「母」達だ。

ファウスト　（驚く）母達か。
メフィスト　　　　　身の毛が弥立《よ》ちますか。
二十世紀の「母達」はどこにいるのか。寂しい所、歩いたもののない、歩かれぬ道はどこにあるか。現代の基本的テエマが発酵し発芽する暗く温かい深部はどこであろうか。そここそ詩人の座標の「原点」ではないか。

※

私は立ちあがった。眼の前に遠い何時か火山からほうりだされた岩があった。

汝、彼処にゆきて彼等を見しや。彼等を知れるか。

私は自らに問うてみた。

私の見たもの――それは、馬糧を盗みぐいしながら尿をこらえることができない栄養失調の兵営であった。鷲鳥の声で叫んでいる盲の原爆症の男だった。昼の電燈をとぼしながらギタアを弾く特殊部落の青年達であった。六人で二組の布団をオルグの私に一組貸した金属工であった。出奔した夫の留守に社宅を追出されないために労務と姦淫した鉱夫の妻であった。首をきられた私を追いかけてきて十円を与えた掃除婦であった。握手すればひりひり痛むほど握り返す牛飼の少年であった。フェルトの草履が一年の労働で買えたと喜ぶ紡績女工であった。

清水のような笑声をたてる地下生活者、屑拾いをする党員の妻、葱一本で夕食をすます地区委員、炎の会議、ひややかな弁舌、脱落者の除籍、裏切者の追放、スパイの眼……こんなものを私は見た。もっと多くのものを見た。しかし、もっともっと見るであろうし、見るべきであろう。では——彼等を知れるか。

知らぬ、と答えねばなるまい。知る、とはそのものを創造しうる、ということだから。私は努めている。それだけだ。

ファウスト　そこで先ずどうするのか。

メフィスト　　下へ降りようとなさい。

　力足を踏んで段々降りてゆくのです。

※

「段々降りてゆく」よりほかないのだ。飛躍は主観的には生れない。下部へ、下部へ、根へ、根へ、花咲かぬ処へ、暗黒のみちる所へ、そこに万有の母がある。存在の原点がある。初発のエネルギイがある。メフィストにとってさえそれは「異端の民」だ。そこは「別の地獄」だ。一気にはゆけぬ。

思いみよ、うすら青く貧しい田舎町の営みは遥かな視野も届かぬ森林から、ゆれやまぬ波の底から、細菌のような集落から死者を運ぶ水のように一箇の法則がもたらした憂いと嘆きと怒りの集積であることを。すべての水は通じあい、すべての血管は廻りあい、すべての道は交じりあう。もし一箇の大洋、一箇の心臓、一箇の広場があるならば。

直ちに原点に立とうとあせるべきではない。誰もつねに正確に原点を踏みつづけることはできない。また原点は単なるイデアではない。原点に向おうとする者はまずおのが座標を、その所属する階級の内容を究め、おのが力の働く方向を定めなければならない。

私達は未来へ向けて書いているのではなく、未来へ進む現在へ向けて書くのだ。偶像を排撃せよ！　観念的労働者主義をうちやぶれ！　今日の大地の自らの足もとの深部を画け！

汝、足下の大地を画くか。

※

風が急に寒くなり、砂が舞いあがった。遠い原子核分裂の渦——淡い太陽は退いていった。私は谷の岸に立つ——ここに人類が……

いわばひとりの私のように、人類はいまや断崖にのぞみ手にした原子力の鍵をもって、自らの命を断つか新しい太陽を呼ぶかに迷っている。始めか、終りか、それは今世紀のうちに決するのだ。思いがけぬ氷河期が訪れてきた。

もし人類が生き続けることに成功するならば火の使用がそうであったように、私達の言葉もやがて核分裂し、無数の元素を産み、より高い次元の心情とその表現へ進むであろう。もちろん窮極的には単一の世界語が。

詩人の任務は古い言葉の火を生きながらえた人類の新しい言葉に点ずるまで「火を消さぬ」こととなった。私達が歌いやめたとき、すべての詩は死ぬのだ、あとつぎもなく。古い詩は死のうとしている。一刻の休みもなく私達は新しい子供達を創らねばならない。まだ暁闇以前に横わっている、あの嬰児のために。そのために私達は「力足を踏んで段々降りて」ゆこう。平和のために戦い、平和へののぞみを歌おう。

汝、人類の生存を望むか

※

百問だなんて無茶だ。私はそう思いながら病舎に帰った。一日に十度も死が話される処へ。

（一九五四年五月　「母音」第十八冊）

層ということ

どこか魔界じみて、ほこりにまみれた鉄骨や灰色の石が重なりあうその中に、静かなものの臭いのような中世の城がそびえている街へ僕は数日行ってきた。

人々はいった——私たちは突きあたっています。資本家ではなく労組の壁へ。私たちの自発的な下から吹きあげてくる風のような力を冷笑し妨害し、あまつさえ支配しようとするのは労働組合の幹部です。かれらは私たちの最初の、敵でない敵なのです、と。

他の人はいった——私たちも突きあたっています。ほかならぬ自分の中の中農的意識へ。私たちの努力は村の最下層から昇ってくるエネルギーにまじわっていない。かれらは私たちとちがう。私たちはかれらとちがう。どうしたらよいのでしょう、と。

寒い十月、荒涼とした庭がひろがり、また縮むのを感じる。これが僕らの共同体《コミュニティ》なのだ。

二つの種類の人々の質はひとしい。いわば大企業の中では労組幹部からさえも軽んじられ、村の中では貧農から白い眼でみられる層によって、いま日本のもっとも若い文学創造は支えられているということができる。いわゆるサークル活動を蔽っている甘さと清らかさと頼りなさは、この階層の素顔をうつしていると考えてよい。

人々に僕はいった——一歩階層がちがえば思想は千歩もちがうという道理を恐れる必要はあるまい。千歩もちがう思想を裏返せばただ一歩の階層の差にすぎないからです。労組幹部と恐れげもなく対立したまえ。中農の欲求のはげしさを貧農のそれと競うがいい。おのれの属する階層に真に忠実である者は、僕らの階級全体についても忠実でなければならない。相手を一分も軽んじてはならない。自らの最大のエネルギーをもって相手の最高の長所を攻撃したまえ、と。

ゆうぐれが僕の二階をつつんでいる。僕は鳥のように自分の蒔いた種子をついばんでみる。ここは世界のうちでさびしい、ゆきどまりのすこし平らな台地みたいなところであろう。僕らの流す血は強い風にすぐ乾いてしまう。僕のいったことは正しいのかどうか、僕もよく知らない。ただ僕は自分のいった言葉を確実に刈り入れるつもりである。

自己の層に対する忠誠……互いに背きあう諸命題の柱列に向って僕はさけんだ。それは論理以前のもののようであり、最後の論理のようにもみえてくる。いずれにしろ僕はもう〝とりでの外の人〟ではないのだった。

（一九五六年一〇月「交叉点」四三号）

深淵もまた成長しなければならぬ

詩人から詩人へ

Y君、私とあなたはよく「深淵」について語った。創世紀のあの無二の文章から始って瀑布のように歴史を貫いているこのイメエジは我々にとって耳をもっては聴くことのできない秀れた音楽だった。しかし二人の耳が実は別々の楽譜をよんでいることに気づいたとき、音楽はやや哀しいものになった。この哀しさ、断層、不協和は二十世紀のものである。あなたはそれをエレミヤに帰すかもしれないが、私にとって聖書は小型の黒い本にすぎない。愛していても、信ずることはできない。いやおそらく愛していては到底信ずることはできないのだ。

私はいまエレミヤを拒む者として一つの予感をもつ。この予感を正確に伝えることはとてもできないが、私をして言《ことば》あらしめよ、だ。断っておくが現代のエレミヤ共の予言のようにそれは新聞の切抜きとカルタと珈琲の香からうまれたものではない。

※

Y君、たとい塵芥をくらおうとも、楽園の蛇が示した最後の善意は疑う余地がない。彼はいまも不滅である。馬車に轢かれて命を殞す科学者を見給え。彼は生きているのだ。そして私はしずかな波を起しながら深淵をおよいでゆく「蛇の善意」を見つめないわけにはゆかぬ。

知識のためには何物も恥じてはならない——かくも卑賤なかくも高貴な一小漂泊民族のモラルの陰画《ネガテイヴ》はいま世界を動かしている。もしあなたがそれを認めようとなさらないならば、悲しいかな、それはキリスト教徒の悪意なのだ。時として異端者の口を封じてしまうあの底を見せない微笑に対して私も武装しなければならないのだろうか。

※

一人の歴史家が、時間と時間のはげしい噛み合いに何か強烈な照明を与えるために、二種の編年史を作成したとしたら……譬えば

イスパニヤ人バルボア、パナマ地峡より太平洋を発見す（一五一三）	法王レオ十二世、聖ペトロ寺建立のため免罪符を販売す（一五一三）
ガリレオ、自作の望遠鏡にて木星の衛星を発見（一六一〇）	ヘンリー四世暗殺（一六一〇）

という風に。このような歴史の編み方はいつもの流儀だという抗議を受けずにはおれないかもし

れない。しかしこの異質の光こそ、諸々のデーモンを脅かして絞首台へあゆませるところの「二つの路」であると私には考えられる。社会の前進的な発展とそれへの反作用と、——この二者のいずれに与するか。パスカルの賭の二十世紀的変奏曲。

Y君、分岐点はおそらくこの辺にある。それは我々の仲間の言葉で言えば、「深淵もまた成長しなければならない」という私と、あなたの「絶対の深淵」との差なのだ。

この差がもたらす致命的《フェイタル》な亀裂については何時かの夜の会話がその重苦しい終末によって証明している。私ももはやそれを繰返す気持はない。しかしあの時は会話の微妙な均衡に注意を奪われすぎたようでもあった。私たちはもっと「錨を下して」話してもよかったのだ。その罪はもっぱら私に帰せられるべきであったので、私はもう一度先夜の情ない結末をとり直してみたいと思う。というのは、あのような親密な魂の間の不可避的な決裂には何か一種われわれではどうすることもできない遠心力がはたらいていると見られるからで、これを「求心」することも無益ではあるまいと考えたからである。

※

Y君、二人の間に偶然生じたかにみえる亀裂の悲劇性は、それが世のつねの関係とちがって詩人の内奥の最も重要な、そして唯一個の原子が分裂したにすぎないというところにある。詩人の悲劇はまさにそのようなものかもしれない。しかし悲劇のみが問題なのではない。私の問題はあの夜からすでに、二人の無名詩人の関係がもっと遥るかに大きな或ものに対して連鎖反応を起したのだという点にあった。そしてこの悲劇の反応はいまおそらく世界的に拡大しつつあるのだ。幾組かの友情があの夜もやむをえず別れ別れていった事だろう。あなたらしい言葉でいえば、それは「友情の薔薇戦争」かもしれない。しかしY君、私たちは騎士の世界に住んでいるのではない。そこでは優雅さ《エレガンス》が悲劇をとかすこともあった。だが今日では優しさが往々悲劇をもつれさすのだ。

たとえばアルチュール・ランボオが「断じて近代人であらねばならぬ」と歌った、その言葉は優しさの反対の極にある。だからこそヴェルレエヌに撃たれたのだ。しかしそれも今となっては「優しい物語」といわねばなるまい。ランボオの近代は、いかにより深く近代となり、われわれの肉の何処にいかなる力で未来へ作用しているのか——これこそランボオの近代的意味、われわれに於ける意味である。〝われわれに於ける〟——それは近代の源泉であるところの楽想の一つ、複数というよりはむしろ集合名詞、コペルニクスのある足下のうごく大地のことなのだ。

※

コペルニクス！　かれはあるいてゆく。かれの足下がつねに「コペルニクス的転回」をなす一点であることに眼をとめよう。もしかれに「近代」という町はどの方角にあるのかと尋ねたとしたら……かれの杖は過去か未来のいずれかを指すであろうか。否。ではかれの頭蓋骨の内側に刻みつけられた認識の段階を指すであろうか。否。かれは知っている。千九百四十八年という座標の一端を固定したときはじめて観客に見えるような気持を起させる町とは、それ自身運動する一つの道〔遊星の軌道〕であらねばならぬことを。かれは杖をふるかわりに呟やくかも知れない。

——近代、つまり方向のことなんだ。

※

この呟やきには二重の意味——近代をつねに近代たらしめるあの、対立——がふくまれているように思われる。「近代を産んだもの」と「近代から産まれてゆくもの」、半過去と半未来の対立、この対立は「コペルニクスと共に」前進する。一切の命題を一九四八年の渦まくるつぼに投入れながら……

近代という言葉を支えるものは、したがって「前進」——世界史的聯関に於る——というヴェクトルである。かかる力の方向なしには存在しない集積・総体——また、かかる方向によって可能ならしめられるX・Y・Z……

※

半未来と半過去とそれを貫く人類の大量的前進方向としての「近代」は、対立のゆえに危機を、危機のエネルギーとして光と創造をパスカルが恐怖した銀河系の暗黒のなかを悲哀もなく歓喜もなく通過する。一瞬！　肉体の無機的不滅に衝撃が与えられ、微かな力が寄り添って破局から破局への平衡を産む。そして平衡と平衡——不断の変革の道程においてそれ自身深淵と光、時の表徴を随えた断片——はつぎつぎに統一され高められ、遂に一滴の有機体が宇宙へ向けて進発する。あなたの言葉でいえば「たましい」のかずかずの混乱と冒険の破産のなかから……

※

Y君、私が何を言おうとしているか、とうにお分りのことでしょう。私にとって人間とはかかる世界の中で一種の密度の高い存在に過ぎぬ。人間と牛との違い、それはパイプオルガンとドラム位の違いでしかないのだろう。私が言いたいのは、詩の出発点は決して「あなた」と「私」の差にあるのではなく、牛と人間の差―世界的地位―に対する認識の違いがそれなのだということである。人類はまだこの辺で迷っている。これが正直なところなのだ。でなくてはどうして先夜のような会話がありえよう。あなたと私が二人とも貧しいながら詩人である所以だ。だから私は考える。

――近代詩は世界詩であらねばならぬ、と。

※

世界はそのエネルギーを挙げてなやんだ。「それでも大地は…」という一句の前に。イエスの世の終りまでの悩みも、婚筵の酒もこの一句の前には水に変ってしまうのだった。それは二つの巨大な体系というよりは互にうち消す二つの方向であったからである。あなたはこれを肯んじなかった。「それでも信仰は……」とあなたは言った。この時私は原告と被告の地位を顚倒した「宗教裁判」を思い起さないわけにはゆかなかった。世界の前に立たされた五百年前の一人の人間の勇気、誠実、唇がその初発のエネルギーであったわけだが……私はあなたの「深淵」をのぞいたような気がした。勝手な想像をゆるしてくれ給え。あなたはその時たしかに「近代の裁判」の前に立っていた。その姿は美しかったが天使ではない私はむなしく煙草を喫うより外はなかった。

※

Y君、過去に対しては背教徒、未来に対しては使徒——この対立のなかに敢て身を置くことを辞さなかった人々、パスカルの敵、デカルトの敵の敵、相つぐ破門と焚刑を恐れなかったもの、あたえられた一切に眼もくれず新しい危機の内部に自らの深淵を創出する者、——ヘンデルのオラトリオが鳴る少年の私は死の篝火を潜ってこの陣営に投じたのだ。私はボヘミヤ人フス、プラーグのジェローム、オールドカッスルであろうとさえした。この事はたびたび語りもしたが、深淵の成長の歴史にはあなたはあまり興味がないだろう。それよりもあなたは「選択の自由」に就て異議を申立てるかもしれない。しかしY君、今日は可能性のふちを廻る薔薇戦争をやめて、既に賭け終った円卓騎士たちに対して我々はまず脱帽しよう。二度と帽子を脱ぐ必要をなくすこと、これはあなたと私が一致した作法《エティケット》の最終的プラグマティズムなのだから。

（一九四八年六月 「午前」）

組織とエネルギー

「相対的安定期」などという、いささかしみったれた概念が日本の知識人たちの頭蓋の天井をかすめ飛ぶようになってから数年になる。進歩主義の英雄時代は終ったというわけか、一種中世風のひっそりした身のこなしが繁栄しているかにみえる。なるほどお天気にはこの上もなく敏感でおまけに細密画好みと来ている人間たちだ。情勢待ちを客観性と取りちがえ、当面する事態を争うことのできない自然的季節として受けいれ、黙々と自分の納屋に籠って藁を打ち小遣銭かせぎをしていれば、やがて晴れる日も来るであろう。これは現代の農民よりもいっそう農民的な哲学というほかはない。

世界的に見ても、現在はいわば「執行的エリイト」たちの愚鈍の季節で、めざましい波乱の一つもなければ寝食を忘れて読みふける小説もあらわれないようだが、だからといって全人類が眠りこんでいるわけでもなさそうだ。たとえ全人類が眼を閉じても、おれだけは覚めていようと考えるのが知識人の性根であってよかろうに。逆説を弄すれば今日「保守的コミュニスト」すら大量に、無事に存在しているのはどういうわけか。この薄暗い陽気さ加減は何としたものか。

進歩主義は存在したが、進歩的人間はいなかったということ、信条と生活が互いに裏切りあって同棲する余地を狭めようとしなかったことが戦後民主主義の最大の弱点であったことはもはや疑いもなく明らかになったと思うけれども、誰も自分の全裸身を実験台の上にさらそうとしていないように見える。かく言う私も怪しげなものだが、声高らかに宣言して見事失敗し、他人から笑われるくらいの度胸はまだなくしていないつもりだ。

先日あるところから手紙をもらった。「あなたの都会ぎらいやスター・システムぎらいはよく分りますけれども、今ある組織とエネルギーから出発するよりほかないじゃありませんか……」まさにその通りにちがいない。ただし組織とエネルギーが密着しているならば、である。けれども今日一般的に言うなら組織のあるところにエネルギーは存在せず、エネルギーのあるところに組織が存在していない。これは割切った言方だけれども、ほぼそう考えて間違いない。かかるとき、いやしくも創造を旨とする人間はいかにあるべきか、エネルギーの側に立ってそれを組織しようとするよりほか手はないではないか、というのが私の書いた返事だった。

これまでの道筋だってずいぶんと証明の必要な個所もあるが、反対の人はよむのをやめていくらか賛成の人だけよんでもらいたい。砂糖の甘さはなめてみなければ分らない、という主題を説得する方法はあまり親切気を出すわけにはいかないからだ。ともかく日本の民主々義運動は（昔も今も）乾いている。エロスがない。大衆の混沌たる、いわば不条理とも見える無政府的な魂に惚れた形跡がない。嘘だと言いはる者には革新政党の公式声明や労組の運動方針からその証拠を提出してくれと言おう。伝達の基本である言葉をこのように空々しく痛めつけ、そこに悔恨の表情すら浮べないというのは、生活をほんとうに豊かにすることが何であるかをまるで知らないと言ってよいし、民主主義が泡立っている沼について白痴にひとしい無関心ぶりがあると言ってもよかろう。

見ていないのだ。触っていないのだ。組織はなくなることがあるが、エネルギーは恒存していることを。たとえば現在田舎のさびしい町でも夫に対する貞節の観念が音を立てて崩れていっていることを。彼女らの愛が社会への通路を持たず、そこに触れようとしない男性と、それへの抵抗を誘わない一般的男女平等論へのはげしい不信があることを。公式声明や運動方針は週刊雑誌ほどにも彼女らの指針にならない。私はこれをいわゆる俗流大衆路線風に言うのではない。むしろ俗流大衆路線も極左冒険主義も相対的安定論もとどのつまり、我々日本人の生活の根部で動いている意識性こそ乏しいが力強い暗さとかがやきに最後の責任をとっていないと言いたいのだ。

もちろん地方では都会の虚しい風潮がもっとやりきれない形で再現されている。しかしここには労働と岩がある。それらが放つ中央への懐疑と不信が一種の保守性となって都会へはね返っていることに注意しなければなるまい。事態は馬鹿々々しく、そして容易ならぬことに思われる。だが私が都会の知識人たちに一刻も忘れてもらいたくないことは、我々のエネルギーは恒存しており、しかも決して安定などしていないということである。指導者たちの阿呆づらを笑うのも結構だが、我々が小ざかしくなるときではあるまい。今こそ知識人の実験のとき、協力のときだ。かつて靴がないころ「歩け歩け」という歌をうたわせられた。今日では経験の直接性を尊ぶためにはだしにならなくてもすむ。

（一九五七年九月一八日「東大新聞」復刊一七号）

民衆の無党派的エネルギー

誰でも知っていながら触れようとしない問題がある。単純さと奇怪さがぴったり抱きあっている一箇の石がある。その意味を解かなければ、およそめざましい前進などを望むべくもないもうろうたる霧の扉がある。日本の革新派の主力部隊にいちじるしい無党派的性格がそれである。

いまや社会主義のぼう大な「無教会派」が存在する。それは選挙で革新の側へ投票した千二百四十二万人（五六年参院選挙）のうち社共両党員と組織された支持者の合計せいぜい百万人を引き去った残りにほぼ匹敵する量と見てよかろう。いや、いうまでもなく数字は行為の質については何も語らぬのだが、党員のなかにも「無教会派」は浸潤している。そして保守よりも革新の側に、現在の革新諸党派に対するより強力な、内的な不信がこもっている事態に驚く必要もない。驚くにあたいするのはこの事態についていつまでも人々が叙情的に語っていることである。党の側からは相も変らぬ告白癖にとりつかれた坊主風、反対側からは少年のあどけなさを装ったヒューマニズム――お互いの台詞をとり変えっこしてみても、この宗教劇の進行にはいささかの支障も来すまい。

だが果してこの所属不明のエネルギーを革新諸党のそれと同質の胎児とみなすことができるであろうか。いずれは「わが党に」合流するはずのプールと見なす習癖に疑問がないであろうか。

彼等は今日の革新派のなかの多数派であるだけではない。昨日も……戦後の運動を支配した真実の主役であったし、おそらくこのままでは明日もそうであろう。そして彼等は自分が革新派であることを疑わぬ、その地点で、そのゆえにいかなる党派にも全身の満足を感じていない。彼等の投票にはやむをえぬ選択として二次的に革新党へふりむけられた振子の運動、党への信頼というよりは自己の信条のためにささげられた苦がさがある。すなわち生活体系と政治行為をつなぐ接続法にあきらかな倒立関係がある。

これに対して政党はどうしているだろう。それはまるで無邪気な官僚そのものだ。すべてを自分の誤りのみに帰着せしめる尊大な主観によって――太陽はおのれがときを作るために上ると信じている雄鶏のナルシスムに落ちている。日本の革新政党は始終誤っているために、誤りのなくなったときどうなるのか見当もつかないが、大衆から見離されかけるとあわてて「大衆路線」の四文字を処方箋に書きつけるというようなヤブ医者ぶりでは、自分が死んだのちに病がなくなる順序であろう。

恐るべき進歩政治家たちは今日の〝社会主義〟思想の普遍化を単純に歓迎している。だがこの下層から生成しはじめた現象には、確実に政党否定の心理の発達が平行しているのだ。それは老いた世代よりも若い活動的な層にあざやかに刻印されているという点でさらに重大な意義をもつ。彼等は現状批判者を批判する感性のたしかさの上に立ち、まだ高度な建設の経験がなく、さまざまな地点で無数の小さな沼を作っているにすぎないが、この太陽黒点は増殖しつつある。革新諸党の教条に目もくれず、労組幹部の観念と衝突し、人間くさい下部に場を求めて絶えず触手をのばし、「生命の起源」に似た自己運動を繰返し、その交流の局面はゆるやかに進んでいる。たとえば一九五〇年の変化を起点として発生した、いささかみすぼらしい運命共同体「サークル」はやがて幼年期の殻を脱ぐであろう。そしてどのように見ても、それは政党・労組幹部より上質の感覚をふりまくであろう。

これらの沼の水が集まって動きだすとき、革新政党がその中に溺死しないという保証があるだろうか。それとも革新諸党はこれこそ人民戦線であると花を投げる役割に廻るつもりであろうか。いや、私は仮設を楽しむことをやめておこう。ただ米騒動はたしかに日本風の蜂起ではあったが、決して革命ではなかったことを一度だけ思い出しておくにとどめよう。それよりも敵の愚かさと味方の無関心がこのエネルギーのかかる発展を助ける肥料となっている現状では、われもし反革命の将軍なりせば中央突破も各個撃破も思いのままだと大言壮語しておこう。

問題は心理技術にあるのではない。商業新聞の不偏不党や保守派の村議が無所属で立候補することの裏には、普遍性というものが二種類存在する日本社会の構造があるのだ。党派性を明示することは一定の小社会に対する個人の所属を破壊し、入会権を失う。保守派においてすらその危険があるときどうして無党派の革新派が生まれない理由があろうか。今日の日本には共産主義、社会民主々義のほかにもう一つ無党派社会主義の三種の革新派があるといってよかろう。そしてこの二、三年続いている政党内部の清算主義には、この潮流を分析しないところから逆にそれと呼応する空気を導入している側面がある。

若い大衆は知っている。自分を革新派と規定する現在の尺度は、みずから宣言しさえすればよいということを。真の危険はある党派への特定の所属であって革新派一般ではないことを。戦前の知識層にある懐疑と弱さのからみあった奇妙にも純粋な革命組織へのあこがれと違って、はじめて量的な左翼を形成した戦後民主主義の底部には、それにくらべればもう少しましな計算力、すなわち清らかな健康さがある。アジア民衆の狡智がある。

日本民衆の共同体的感覚はようやく新しい光りの方へ身じろぎをはじめた。その衝撃によってまさしく体制変革へ組織はよろめいた。いま我々は〝世界観なき変革〟の途上にあるかにみえる。人民内部の死にもの狂いの格闘はいつから始まるであろうか。

（一九五七年一二月二日「日本読書新聞」第九二八号）

幻影の革命政府について

いささか誇りをふくんでいうのだが、私は自分の生涯になんら独自の思想体系をうみだそうとする要求をもたない。もちろん、すべてを包括しようとすることをやめたい思想は不具であろう。けれどもなぜ一切を創造しなければならないのか。あのユニイクさへの熱望に引きまわされ、食いつくされることに殉じたとしても、それが果して真の意味における自己の増殖、拡大であろうか。そちらの方角と全く逆に、いわば複式の自我とその生産のシステムを確立することはできないか。選ぶことはものうい。才能とは偶然への礼拝にすぎぬ。私がここにある、その地点にすべての必然が発見されるだけでよいではないか……。幼年の頃から私の目盛りはそういう風に刻まれている。だから私は思う。古来の大きな思想家たちもまたやむをえざる不定形によって生きたのだ、と。宮本武蔵が独行道二十一箇条で世界のほとんどを拒否したあげく、その末尾に否定形による肯定で「世々の道に背かず」と書いたように——。世々の道とは何か。私にはそれが労働の合間に投げ出される木片のような叡智、ひとつの出発点であると同時に終点でもある言葉のようにひびく。おそらく彼は模倣というものの究極の機能を指したのである。たとえそれが観念のおぼろな絵画または音楽でしかなかったとしても、この種のあいまいな信号に支えられなければ——どのように壮麗かつ完全な世界観も一度だって生きたことはなかった。

否定の果ての模倣、模倣の果ての否定——たとえばみずからをマルクス・レーニン主義者と公言するときの、あの頭痛を伴う暗黒と光、ためらいと自尊、この嘘はいつ真になるであろうか——党籍は過去をふくんでいる。現在を確認している。だがそれは未来については一言もしゃべらない。だからそれは常に証明書の半片であるにすぎない。真理の五十パーセントは真理でありうるか。

どのような眼もそのまま眼自身を直接見ることはできない。眼はそれ自身一箇の反射装置であるがゆえに、眼をして眼を見らしめるものもまた反射装置……鏡でなければならぬ。と同様に論理が自分自身を見るためには必ず異質の反射装置としての別な論理を必要とするであろう。対照となる論理——全く排斥しあう根を持っていながら、自分の影絵を切り抜いたのではあるまいかと思われるほどに相似した命題を探す。二つの論理を嚙みあわせてみる。できるだけうまく対応するように重ねていく。すると範疇の周辺にあいまいな領域が浮ぶだろう。もしこのあいまいさが行為によって飛びこえる許容限度内の懸隔であるならば、むしろ飛びこえることが溝の大きさを知る最も有効な測定法であろう。大胆な仮定かもしれないが、思想の理解というものはいつも枝から枝へ羽を散らさずに移ることだとすれば、仏教の無常観の上に国家の死滅に関するレーニンの学説を、不浄観の上に機械的唯物論を重ねあわせることは可能であり、民衆に抽象能力を、工作者に誤差の近代的意義を、そして思想一般に土着性を与えるかもしれない。一点を通り、与えられた直線に平行な直線はただひとつしかないというユークリッド的規定を葬るならば……一箇の思想を表現する複数の形式が可能である。陽子に対する反陽子の世界が考えられるならば……一定の論理体系に対する「反」論理体系を想定しうる。いや、このような論理自体が比喩による移行でしかないけれども、すくなくともここまでは断言できる。——一つの思想の骨骼をなす主要な論理がなにがしか反対の側面からの充塡を受けなければ行為の領域に移動することができないのは思想の当然な運命なのだ、と。こういう風にもいえる——適切な補足を得られなかったために生命体となりそこねた第一級の知的産物が存在する。無数に存在する。われわれが天才とよぶのは「すでに在ったもの」が生きるに必要な所与を見いだした者にすぎぬ、と。

補足の論理と論理の補足。それを日々の作業としているあやしげな工作者を想像したまえ。彼は空想する。

われわれが革命家というものを理想化するときのさまざまな特徴——直観と分析のすさまじい格闘、運動選手のように張りつめた反射神経、深く静かな総括の能力、行動に対するつきない魅惑の泉などの反対側にある属性を集中して一個の人間を作りあげるとすればどうなるであろうか。もし彼が「自我」だの「革命」だの、これら最高の原子価をもつ言葉、概念の王者、その冠にきらめく心情の群に生涯一度も出会わなかったとすれば、彼は果してどのような性質の沈黙を所有するであろうか。いわば完全に受身の人間、彼にできることといえば沈黙と拒絶しかありえないような人間を思い描くとすれば――この種の人間こそ土のなかの土、石のなかの石、この世で最も敏感にみがきすまされた静止した鏡面、もはや人類に帰るすべもなくなったと思われているあの歌うような嗅覚、文明に対する予言の本能……ではなかろうか。

この世の矛盾の渦の総体……これを深淵とよぶならば、深淵もまた成長する。すなわち深淵それ自身の矛盾が存在する。この矛盾の核は、それがまだ解決されない矛盾であるかぎり、二箇の拮抗する中心を持つ。現代とはその一方の極に解決の責任を主体的に背負った政治的、論理的前衛をうみだした時代なのだ。たとえ、それがどのように貧弱で錯誤にみちたものであろうとも、渦巻の眼としての意識集団を欠くことはできない。だが――ややもすればこれは三角形の頂点に前衛を置くことで世界の全視野を見通すことができるというピラミッドの意識に落ちてしまう。遠近法を成立せしめない単眼の思想だ。この意識世界をまったく対照的に裏返して考えてみる必要がないであろうか。体制変革のエネルギーがその意識の中心に前衛を持つように下意識の焦点となる何かがあるのではなかろうか。前衛がみずからを意識の極に置きながら、不断にその対極と連結しようとする組織体であるならば――民衆の意識の底部に反動思想のもっとも高く、もっとも鋭い反映であるとともに、同時にそこから未来をめざす胎児がどのような生理機能でも名づけることのできない初発の運動を営んでいる地点があるはずだ。反動思想の根の末端がそのまま革命思想の芽であるような関係……模倣と否定、すなわち比喩の弾力によって異質の価値体系の間を移行し、また逆行している微視的な地点の存在を誰が拒否できるであろうか。

いわば革命の陰極とでもいうべき、デカルト的価値体系の倒錯された頂点……この世のマイナスの極限値。それは老子のいう「玄牝の門」であり、ファウストの「母たちの国」ではないか。潜在するエネルギーの井戸、思想の乳房これを私は原点と名づけた。なぜなら互いに補足しあい、拮抗しあって渦を形成する楕円の二つの焦点を想定することなしに、深淵の巨視的な運動をなにがしかの古典的な輪郭でとらえることは不可能だからである。それは決して後衛でもなく、反動でもなく、符号を異にする前衛と見るべきである。前衛とは後衛を牽引する、それ自身に内在するエネルギーの動力機関ではなく、後衛から打撃されることによってエネルギーを獲得する方向指示の機能でしかないという思想は、果して今日の歴史の実態に背いているであろうか。したがって前衛が進行するためには、後衛を打撃することによって後衛からの打撃を得なければならぬ。前衛の責任は最初の点火の責任にほかならぬ。一瞬の点火のエネルギーが内在するかどうか、それが前衛に向って問いつづけられる不断の告発である。

では、もし負の前衛である原点に向ってこの告発状を突きつけるとすれば彼はなんと答えるであろうか。彼はどのようにみずからの負の言葉、いわば沈黙の表現によって正の前衛を衝撃しているか。批評の終着駅、生産の起点、泥土の首府——そこでは革命の直線的な価値体系も転倒せざるをえないゆえに、古い体系の価値転倒も完全に保証されているのだ。文学が政治に従属することを認めるならば、それゆえに文学は政治にはげしく影響する立脚点を得るように——観念論を拒否する者のみが観念の力を物質的に知ることができる。マイナスの前衛から見るならば、それはこうなるのだ。世界の映像を裏返さないかぎり、永久に現実を裏返すことはできない。イメージからさきに変れ！　これが原点の力学である。よし凡百の唯物論に対立するものであろうとも、民衆にとって変革の正当な順路というものは物質的条件が変るまで待つことでは断じてない。

大地を藁ぶきの音楽堂に、脊梁山脈を一冊の書物に、故郷を悪霊たちの飲む泉に変えることすらできなくて、何を変革しようというのか。革命家たちがそれをしなかったことがあろうか。万里の長城に大書された「中華人民共和国」の文字を最初に見たのはマルクスではなかったか。「レナの発砲は厚い沈黙の氷を破り、民衆運動の河は流れだした。あふれだした。」ともずのような期待の叫びをあげたのはスターリンではなかったか。おのがじし自分の全感性のすみずみまで点検してみるがいい。幼年時のやわらかい鼻がおぼえている子守女の髪に紡績女工の匂いをかぎ、手製の木舟の肌触りに坑夫の恋心を探すがいい。それができなければ、せめて唇に漁夫の尻上りの発音を、耳に納屋の夜の物音を感じることくらいはできよう。もしそれが可能なら、個性という言葉のまやかしについてあらためて考えるまでもない。われわれの内部は外部の力の、ほぼ生理的食塩水にひとしい濃度をもつ集中の結果にすぎぬ。

私の夢想は平凡きわまるものだ。前衛と原点――このような対置が一度決まれば、論理と感性、意識と下意識、機械と大地、首都と故郷などの相互に対立する範疇の群は、ほぼ同じ比例関係のなかに生きているのだから、民衆の革命に対する不満をそのまま一つの部隊に編成しうるのではないかということだ。それはおそらく前衛を対照的に裏返したのとそっくりの影絵を作るであろう。とすれば、それは彼を補足し、修正し、充塡する一つの負の体系となるはずである。

対置は誰しもやるだろう。「弁証法的に統一」したりもするだろう。欠けているのは前衛と原点が一瞬に統合される場を確認することである。それはたしかに観念と実在する集団を混同する危険を犯さねば前進できない作業であろう。髪の毛ひとすじのくいちがいが気の遠くなるほどの距離を作りだすこの領域で、炭坑、特殊部落、火山灰地の貧農、癩病、離島……これら原色の星たちがとりかこむ透明な空気の門の奥に、一切の傾向性の遺伝因子を決定する鍛冶場があると考えることは――個我のわくにはめられたどのような陶酔にも似ていない快楽に支えられている。

足もとの断層には流れが渦まき、異邦人の薄笑いを浮べて、彼方の世界が公認する査証を自分の現在のうちに見つけなければならないのだ。貧乏はたやすい。失業はたやすい。不可触賤民になることはたやすい。破局に耐えるのもたやすい。ただひとつ困難なのは感覚の橋だ。論理の向う側にある真白な塩をどうして溶かす。歪曲せず、屈従せずあるがままの全重量をのせて駈けわたる丸木橋をどの肋骨に賭けるか。他のすべてを失っても、精神の「象の墓場」へ向うこの橋一つを守ること――なぜなら、それは負の前衛がまだ開かないままに血潮だけを外へ流している城門への道であるから。

果して彼等の一滴の沈黙と拒絶の血にまみれないですむかどうか、誰も断言することはできない。彼等とはむしろ抽象のみが知覚させる存在であるから、そこで要求されるのは二重の倒立である。感覚によって論理を規正し、奈落へ下降することで上昇する地獄をさらに深く沈めねばならぬ。なぜ、そうしなければならないのか。そこに道徳だの政策だのに限定された理由をみつけようとしても、何になろう。強いていえば私有という不完全かつあいまいな所有形態ではみちることのできない強烈な二種類の所有欲――みずからの私有を放棄し、分解させ、そのエネルギーで前進するほかはなくなった正の前衛と、共有という形態によらなければ寸土も所有することのできない負の前衛――が抱擁しようとする高温高圧の状況でしかないのだ。

この世における二つの拮抗する極限……前衛と原点の間に存在する緊張の最大エネルギーを未来のコンミューンのるつぼとみなす習わしは或る種の一元論のあまりにもたやすい明確さに阻まれて、まだ世界の前衛内部で正統性を得ているとはいいがたい。なぜなら、そこに経済関係と意識関係が整合していない事実があるからだ。存在が意識を決定するという命題は必ずしも意識が存在の直訳的な反映を意味しないことは当然である。たしかに存在は意識の決定因である。しかし意識は存在の単純な相似形でないことは馬鹿々々しいほど自然な事実である。存在自体がすでに時間をふくんでいるのだ。たとえば確固たる故郷をもつプロレタリアートとどこが故郷かも分らなくなった流離の小市民とでは、感覚の領域に関するかぎり、後者は前者に対して負の記号をもつといわねばなるまい。そしてもとより彼は故郷なきプロレタリアートに対して正である。また味方の内部における正負の記号が敵との関係において流通しないのも、いうまでもない。だが私は図式化に興味を持っているわけではないのだ。いわば——所有しないことですべてを所有する、感性のコンミューン権力を「現実」より一足さきにうちたてようとしているのだ。政治に従属する文学とはつまりそのようにしてのみ従属するものではあるまいか。呆れる必要もないことだ。資本主義社会の内部でも社会主義リアリズムが可能だといったのはアラゴンである。

私はそれを必要とする。私のきらいなカミユ流にいえば連帯の王国を必要とする。いや連帯と王国が一致しないところにカミユの限界があるのだが、私はその一致を要求することから出発する。自分の決意を自分が認めること、それなしに世界は理由を失うのだ。イデオロギーのかすかな秘密がそこにある。では革命の陰極、泥土の首府——ここに私は精神辺区ソヴィエトをうちたてる。高い杉の木のような幻影の革命政府を宣言する。おそらく私は彼等に対して異族であろう。しかし私は彼等と同じ公民権を要求する。彼等が私を必要とするかどうかは知らない。だが私は彼等を必要とする。彼等なき私は砂のうえの魚である。ただそれだけの認識で歩くのだ。存在すると信じているにすぎない一本足で……。

片足を探して、片足で歩く。その滑稽な跛行のうちにしか包囲の霧を脱出する尖兵の姿は求められない。それは歴史の皮肉というような拗ねた味わいではないのだ。見えないものを見るという機能は工作者と詩をつなぐ必然の赤い糸であるというだけのことである。孤立と倒錯をくりかえして連帯へ近づこうと傾きながら、血を流しながら消えていく者の列……そこに楽観を見出そうと悲観を見出そうといずれ当人には関係のないことだ。ひとりの結核患者が病める肉の労働と粗末な食物を与える新しい神とを交換する、その場にすらもまだ前衛の眼はいあわせないのだ。このようにして人々はなお歩いている。どこへ。何もないところ、神もまた住まないところ、革命だけがあらねばならぬところへ。だが、そこにはまだ誰もいない。そこは黙々と日が照っているがらん洞の広場である。ほとときすが空を支配し、しょうじょうばかまが谷の陰気な女王である村で私が彼等と別れて数年経ってから、われわれが作った長老会議のひとりだった若い男がいった。「あのときはまだわからなかった。今じゃおれは言葉を持っている。あれは原始共同体だったんだ。」そうかもしれない。捕虜を殺すほかはない共同体だった。

（一九五八年六月　九州大学「展望」第三号）

無を嚙みくだく融合へ

現代詩がめざしているもの

　失明した眼には何が見えるだろうか。破れた鼓膜には何が聞えるだろうか。我々は詩を信じるかぎり、すくなくとも彼等が見かつ聞いている、という事実を人々に伝達しなければならない義務を持っている。

※

　このところ小さな旅をくりかえしている。炭鉱へ、南の故郷へ、都会のかすかな集団へ。その細かな変容について今は語るまい。唯ひとつ、意識の高さがほぼ完全に意識の重さと逆比例している事実を報告しておこう。むっつりと黙りこんでいる労働者農民もいまや集会や文書をすべて敵と考えてはいない。けれども彼はいぜんとして唇を開かない。彼はひっそりと聞き、かつ読んでいる。土着の、無学の、窮迫した彼の洞窟には食べちらした骨や貝が少しずつたまっている。だが彼は何も表現しない。表現の方へ歩みよっている形跡はない。まず書くことで充分だ、として出発したどのような運動も遂に彼には無縁であったようだ。それはもっと別な層——知識や生活水準のかすかな高さ、都市や植民地における経験など、なにがしか自己疎外の契機をぬきにしては存在しない者たちを呼びさましたにすぎなかった。したがってそれは当然に一種の軽い明るさを下塗りしている。労働の苛酷さ、生活の困難さを創造の動機にとらえながら、なおかつ沈黙する彼にくらべればやむをえないともいえる、軽薄さにみちている。もちろん軽い意識のすべてに地獄はある。今日の詩誌を埋める白痴のような金属面にくらべれば、それは壊れた甕くらいの重さはある。けれども発言する者と沈黙する者の間にはあきらかな対立がある。単に書くことでは救われない人々、書くことと変革の重量がひとしい人々、だから書こうとすればたちまち傷つく人々がいるのだ。

日本のあらゆる小説や詩を通観すれば、たやすく彼の影をみつけることができるかもしれない。彼は一種の声なき動物、動かない風景として他の者を彩る小道具になっているであろう。観察されたときには或る定理のなかに融けてしまう存在として用いられているであろう。しかし文学的にも現実的にも彼は一度だって自分の運命を内部から変える決定的な発言をしていないはずである。——では果して彼は何物も表現していないのだろうか。事態の底できらめく人間たちを究極のところひとつの素材として終らせてしまう波の上すべりはどこからくるのだろうか。懐疑の主体を積極肯定したデカルト的発想によれば、彼はゼロであり、空洞であり、無としての存在である。彼が生きるためには主体が、自我が、意識があらねばならぬ。しかし外からこれを注入しえない以上、彼の沈黙のなかに何かを探さねばならぬ。いや、彼だって啞ではない。身ぶりをし、つぶやき、叫びさえもするのだ。そこを手繰りよせていけば、空洞は空洞でなくなるだろう。――あの悪名高い俗流大衆路線論はこのように単なる実在をのみ実在とみなす点で、すなわち疑いを忘れたデカルトという意味できわめて西欧的な発想をもっていたといえる。だが沈黙こそ主人であり、身ぶりや叫びは下僕にすぎない素朴さの複雑さをとびこえるならば、虎はたちまち猫として理解されてしまう。俗流大衆路線がつまずいたのは一般に思いこまれているように野暮な感傷のせいではなく、俗流西欧路線とでもいうべき平凡なモダンさがその発想の底にあったからだと私は考えている。したがって今日やれ詩劇だのシャンソンだの詩画展だのと跳ねまわっている人々を見ると、彼等が無縁と信じている俗流大衆路線のしっぽに快よくなでられる思いがする。

もとより、いま声優ならぬ詩優とでもよぶべき人種が登場したことなど私にとって何の興味もない現象だ。彼等は彼等なりに重いのであろうし、私は自分の軽さが問題なのだ。あの沈黙はなぜ砂のような、鉄のような味がするのだろう。たしかなことは、私が彼と戦ったことだ。彼の方が私の方に喧嘩を売っているのだ。しかし私の反撃は彼の肉体にとどかなかったらしい。彼は苦痛に顔をゆがめもせず、黙々と帰り仕度をする。私の方にひりひりするものを残しながら……。彼は表現しているのだ、私は考えはじめる。彼の沈黙はゼロではない。それはマイナスの値をもつ或るものだ。彼に発言を強いれば「よく分りません。勉強していないので……」などと口ごもるにきまっている。けれども彼は無意識のエネルギーで私をなぐった。私は言葉でなぐり返した。

彼もまた防禦しようとしているのだ。私は彼の沈黙のなかにある巨大な実在感覚に触れる。私たちはこれを奪いあおうとして、にらみあったのだ。符号を異にする鼻と鼻をつきあわせたまま。

私は彼の表現法を理解する。彼は詩の法則をたどっているのだ。詩が拡散する対立の文体ではなく、収斂する対立の文体であることは誰でも認めている。いわば詩の公理はすべての物の等価交換を要求する同一化の定式A＝Bである。この原理へ世界のすべてを追いこもうとする圧力で、それに対抗する矛盾の大きさを表示する方法だ。ところでこの定式のなかに動きを否定しようとする力学があるために、それが対象を直線的に圧迫し、静止させてしまう恐れがある。二十世紀の詩はこの危険を克服して、詩に運動の可能性を保証しようと試みてきた。もとより否定の力学もあくまで力学である以上、固定と自己閉鎖が詩にとって必然の属性であるべき理由はない。むしろ反作用の強さを利用してプラス無限大へはね返る発条とみなすことができる。――彼はこの力学をそのまま負の世界で倒立させて用いているのだ。デカルト的な意味で正の記号をもつ観念は彼にとってすべて負でしかない。それは見知らぬもの、彼方のものというだけでなく、彼に損害を与えてきた敵のものだ。たとえ彼の味方と見えるような内容が構成されていようとも、その一つ一つの要素は彼に刃を向けているのだ。そこで彼は労働と消費の中から生まれた手触りで、刃のするどさをなだめようとする。つまり概念を自分の側の感触で置き変える一種の翻訳を試みる。けれども彼の方へつき刺さってくる言葉、人々を統一し指導しようとして繁殖した組織語とでもいうべき知識の言葉に対して、彼のいわば生活語はそれに対応するだけの分化をしていない。

だからもし彼が不用意にこの敵の組織語で構成された味方の通信に近づけば、まだ言葉の殻に入っていない実在感覚の大部分は傷つき、削り落され、相手の掌中に握られてしまう。これまで彼はこうして自分の武器をむざむざ敵に渡してしまったものだ。そこで彼は防衛の姿勢をとる。刃先を警戒しながら自分の感覚を一点に集中して、それをもって相手の尖端をつかもうとする。西欧風の符号の附け方からいえば、マイナス無限大からゼロの方へ収斂する力で突きあげる。彼の力が強ければ強いほど沈黙へ近づくのだ。あえていえば、彼はサンボリスムが一種の全き不毛に到達した、その道筋を対照的にたどっているのである。

いわゆる東洋的無とはこのような発生因を持つものではなかろうか。すなわち組織語と生活語の明瞭きわまりない階級的区分によって、そのいずれの側からも不毛の地点、ゼロをのり越えられなかったことに——。言葉が実在感覚と論理の交点ではじめて肉体をもつ素材であることはいうまでもない。しかるに我々の言葉は範疇があれば内容がなく、内容があるときはアミーバのような不定形だといってもよい。詩はひたすら実在感覚にさえ頼っていればよいという意見はこの断絶に対してあまり楽観しすぎる。「標準語」であろうと方言であろうと、感覚の大部分はなお表現されない。言葉がないのだ。しかもその欠如は感覚の中枢部にゆくほど甚しくなる。むしろ表現しないことで表現する方法、表現の核心が空洞であるような表現法だけが発達している。しばしば観念的に固定化しているとはいえ、そこには大きな潜在力がある。これを簡単に顕在化できると考える者は、彼が真の生活人でないだけの話である。

問題はそこで終らない。彼が自分の実在感覚を私から防ごうとする、そのところに彼自身の落し穴がないであろうか。彼は果して誰のために私と戦おうとするのか。そこでやはり彼は彼個人の感覚として私有する財産の秘密を明け渡さない。いわば彼の実在所有者としての堕落へ彼を誘っているのだ。彼が沈黙の地点をのりこえられないのはむしろそのためではないか――。昨年九十六日のストと戦った佐賀県杵島炭鉱のコーラス団が九州のうたごえに出場して「兎追いしかの山、小鮒釣りしかの川」というあれを歌った。その練習のとき「いったい、ふるさととは何だろう」と話合ったら、二度夜逃げをし、三度父が変った労働者などはまだましな方だった。故郷の実感といってもどこが故郷やら、実感やら見当もつかない者が多く、「故郷はこれから作るべきものだ」という結論に落ちついた。この場合、彼等にはもう真の故郷が見えはじめているわけだ。故郷の実在する者よりもさらに強い実在感覚が故郷の欠如という形で与えられているのだ。この状況を延長すれば、所有の意識で支えられているすべての感覚は、あたらしい所有形態――共有――で獲得しようとする目下の欠如に対して、やはり一種の中間性を示しているというべきだろう。すなわち二種類の無が存在する。防衛する無と攻撃する無が。この二つの無の葛藤を促進する触媒が我々の詩でなければならないのではないか。

幸か不幸か、私は「大和は国のまほろば」という中央意識にも、旋回するイメージに欠けた東国風の固い観念性にも無縁に育ったので、土着する異族の震える感覚を割合によく所有している自信があった。だが文学における無葛藤理論を根本的に否定しようとすれば、言語そのものの内部対立にまで到達しなければならないと判断したとき、私の道が尽きるのを感じた。断乎たる没落への追求こそ高揚そのものであることは文学が最もよく知っている原則であるが、彼自身が表現しないものをそういうものとして私はどのような言葉で描くべきか。行為としては交錯しても言葉としては交叉しない領域をどの武器でこじあけるか――。これまで私はやむをえずそれを工作者たちの壁にぶっつけることで集中してきたのだが、彼と私の関係が深まるにつれ、それはいらだたしい間接性とさえ感じられるようになってきた。「あいつにもおれにも言葉はまだないのだ。おれは何ひとつ核心のところを表現していないのだ」。こういう思いに打たれて相手の記号をにらんでいるのが私の日常である。いわば実在感覚の私的所有によって私自身も襲われているのだ。

沈黙の詩を書きつづけている人間は私のなかにもいる――という風にたやすく同一化の原理をふり廻してはならないだろう。私の詩が不毛へ向っているのは隠す必要もないことだ。しかし私はあの黙りこくっている人々と方向を逆にしている。そのゆえに究極の不毛の点ゼロを一足先きにのり越えるべく賭けているのだ。いや賭という形で言うところに私の不毛がある。賭けとはパスカルが示したように西欧風の自由だ。必然の洞察からすりぬけるものだ。それは選択する。投票する。ゲルマンの諸侯が王位を争ったように。私は彼を必要とする。でなければ私の詩はつまるところ沈黙を伝達する道具でしかない。私のなかの彼と衝突し、うめき声をあげさせ、彼の私有の軍旗をうばいとり、彼の中間性を絶滅しなければならない。そのことによってしか私は私の旗を棄てられないのだ。私は自分のなかに二種類の人間……プラス・プラスとプラス・マイナスの人間がいることを確認し、その争闘の最大値をもって統一の契機、いわば工作者としての新しい次元を開こうとつとめてきた。私はあくまで工作という契機——加害者の思想が現代文学の必須の柱であることを主張する。ここ数年の現代詩は点火器のないガソリンの状況にみずからをおくことで衰弱した。数千年の「東洋的無」の表現法に拮抗し、その無限に近いエネルギーに点火するためには衝撃力の強さなくして反応を得るすべはない。選択の余裕もないことだ。しかし工作者という媒体のなやみは、それが結局媒体でしかない限界にも——また組織語に対しては生活語をもって、生活語に対しては組織語をもって答えなければならない倒錯にも存在しないであろう。彼は必然に孤立する。ついに死すべきものだ。それを恐れない工作者を戦慄させるのは、ただ次の一事である。すなわち彼はただひとり豊かになる危険があるのだ。

私は多くの年老いた工作者を見た。そして彼等に一様な或る種の現象があることに気がついた。彼等の経験の多様さ、豊富さは私などが逆立ちしても追いつけない宝庫である。私は子供が珍しい品物をいじくるように彼等の経験を見さかいもない質問でとり出しては遊ぶことがある。しかし彼等の内部はどこか気味悪くしんと静まり返っている。石灰岩の台地にできた鍾乳洞に似ている。彼はあまりに多くのものに出会いすぎたのだろうか。つまり単純な侵蝕作用のせいだろうか。いや、そうではない。彼等は自分が存在してきた同一平面に対して深くえぐられているのだが、それはむしろ痛ましい豊かさとでもいうべきものなのだ。彼が望んでやまなかった共同と連帯の逆方向に、すなわち彼個人の所有となる方向に、経験が蓄積されてしまったのだ。もとより彼等はそれを誇る意志をもたない。彼等は私たち未熟な工作者に向うときだけ、かすかなうしろめたさとよろこびで自己の悲惨と同義語の財産を分譲する。私は彼の空洞を感じる。これはあの笑ったことのない者たちの沈黙に対応するものであり、それよりもなお深いものだ。工作者の極点にもひとつの無があるのだ。それはなんと見事な自己閉鎖であろう。おお、私たちはどうすればよいのか。集団のなかで、私の足もとだけが速かに深く掘られてゆくのをどうして防ぐべきなのか。自分の穴を浅くすることではなく、他人の穴との境界を破壊する方法はどこにあるか。私の発言、私の詩、それは常に何者かの代表であらしめるようにつとめてきた。しかし、それはついに工作者内部の自給自足現象に終ったのではないか。

私は自分のなかまたち、工作者たちの方をふりむく。すると表現の可能性に対する恐ろしいまでに容易な信仰があることに驚く。なるほど彼等はおびただしい時間を費して、探しあつめてきた実在感覚と理念を対応させようと苦しんでいる。会議と称するものはほとんどそれに始まり、それに終っている。しかし、ついに核心は語れなかったという絶望に近い嘆きを持ち帰らないことはない。たとえばフランスの抵抗小説を読む。そこには何とすべては語られうるものだという信念がみちていることか。だが我々がつきあたっている否定の表現の十字形はこれでは決して解くことができないのだ。プラス・プラスの極点にある空洞、それはマイナス・マイナスの極点にある実在感覚と結ぶことではじめて満ちるのであろう。いやおうなしに私の道はそこを通らざるをえない。

私はただ一直線にマイナスをプラスへ変えるべく凝縮につぐ凝縮で追いこんできた気がする。といって私は何も現代詩が固定と静止の危機を越えるためには、現在試みられているように詩の原理と離れて形式の融解や緩和を求めなければならぬ、というのではない。むしろ私は自分自身が「私有」から離れる道についてはは正しくつかんでいたと思う。けれども私は実在感覚の所有をめぐって……全く私有への道を閉ざされているもの、共有という形によってのみ所有への可能性を見いだす者の存在を具体的には認めることができなかったのだ。三年前、逃げ出した売笑婦たちをかくまったときはじめて、彼女らが私有の愛と共有の愛を同時にふくんでいるのを見た。したがって彼女らは私にとって負の値をもつ工作者であった。しかし彼女らは故郷をもっていた。恋人をもっていた。故郷や恋人を持とうとすればするほど、それから遠ざかる者ではなかった。ブルジョア民主々義革命とプロレタリア革命という風な段階論ではなく、常に二段階を同時にかけ上らねば何物も感覚することのできない人々がいる。いわば故郷を持たない女は母を持たない男と同じく「恋する」という言葉のしめくくられる場所がないのだ。つまり彼女は転向はもとより失恋すらもできないのだ。実在感覚を持たないことで実在している虚数であるゆえに、はげしく実数との抱擁を求める二重の負数である彼等こそ私自身に対する工作者である。彼等をしてみずからの位置を意識せしめよ。そうすれば彼等は現在の工作者たちの完全な裏側からすなわち反デカルトの極から、工作を始めるであろう。

もしそれが得られるなら、あのいまいましくも厳粛な沈黙を包囲する回路ができあがるだろう。彼の中間性を爆破することができるだろう。——私は共同体の基点というものを追求しているうちに、ようやくここにたどりついた。芸術の革命と革命の芸術を同時につらぬく決定的な場はここにあるだろう。それは愛と革命を完全に同義語にする灼熱したカナシキであり、詩を本質的に複数の表現へともたらす門である。革命ならでは顕在化することのできない無に対してすら、ほとんど何の関りを持ちえないように見える無——それは老練な工作者よりも数少いものであろう。いや、それこそ日本の無を否定する東洋の無、アジアの無かもしれない。それと結合し、それに吸いつくされることに甘んじて融合反応を遂げた工作者の詩——これこそ現代詩の未来である。それはマヤコーフスキーの悶絶もアラゴンの安定も同時にうち破るであろう。

（一九五八年六月「ユリイカ」）

工作者の死体に萌えるもの

言葉について書こうとすると、しだいに不機嫌になってゆくのはなぜだろう。まるで自分の顔を批評しているみたいな心地だ。どんなにあざやかな料理法を披露しても、しょせん私自身の言葉が横からはみだして、あかんべえをする始末になるのだ。言葉の美しさなどとは死んでもいわないに越したことはない。まして言語政策というような大鉈をふりあげられると、自分がいつも樫の木のように震えてくるから奇妙である。どうも私は言葉を選択可能な面から見ることに気が進まないのだ。つまりそれは母だの故郷だのというしろものと同じぐ、すでに与えられているので発見するよりほかないもの、発見することで新しく構成されるものと感じるらしい。

といった次第で、桶屋が桶を作るように唯一の必要な手続きを経て完成に至ることが、むろん私の理想であるが、ものを書く癖のあるすべての日本人と同じく、いや、人並み以上に私の言葉は生きながら裂かれている。母も故郷も一箇しかないはずなのに、どうみても二つの根といわなければならないものが私の言葉のなかにある。おかげで私の書いたものはみんな異った根が接合されている化物の木といった趣きがある。強いて名づけるならば、それは生活語と組織語の分裂と妥協ということであろう。

戦争中ある朝鮮人学生に「何が一番いやなのか」と聞いたら、彼は小首をかしげたのち「自分の観念が朝鮮語と日本語に分裂することだ」と答えた。今にして私は彼の茫然たる苦悩につまされるのだが、戦後十数年をいつのまにか大衆運動の工作者という姿勢ですごすめぐりあわせとなった私たちが会議でもひらくと、思考の原型を生活から汲みとりながら、いかにそれを普遍化された概念と接ぎあわせようと苦心しているか、ほとんどそのために時間の大部分を使ってしまうのが常例であることに気づく。それにくらべるとフランスの抵抗運動に関する小説などは、大部分知識人くさいやりとりで事が運ばれてしまうのがいかにもあっけない。あれでやれるのなら楽なものだと言いたい。日本では文字として表わされる言葉はすべて核心のところで生活に向って逆立ちしている気味があるのだ。なぜなら、我々が思想の伝達に用いる主な言葉は一種の公用語であって、私生活とは無縁の場所から発生したものだからである。人々を上から組織することに熱中している言葉だ。一つのものを他から区別することを軸にしている言葉だ。労働の手触りがまったくない。だから究極ぎりぎりの地点で未知数が既知数に転化しない。

区分することで明確になるのは範疇の相互関係にすぎない。範疇そのものの内容をみたすのは経験の創造性である。物質に対する直接の反応がその土台である。この土台から泡だってくる言葉、すなわち生活語はどのような意味でも「標準語」ではない。また単純な形での方言でもない。むしろ大切なことは、日本の生活の根幹が無時間的な沈黙という表現法で成り立っている事実である。生活語はその巨大な無の穴をとりまいている叫びと身ぶりの代用物でしかない。それはどのつまり民衆の唇にのしかかっている岩石に関係しているだろう。しかし、それはまた独特な歴史的形式でもある。——労働者のなかで今日多く発言している部分はいくらか学歴があるとか、比較的家計が楽であるとか、外地生活の経験があるとか、なんらかの点で自分の労働を外側から見る余裕のある者であって、そこに意識の高さを裏返せば意識の軽さにそのままつながるもろさがある。これに反してむっつりと黙りこんでいる土着の、無知の、窮迫した労働者はまだ何も言っていない。彼がその沈黙で表現しているもの、いわば自己の意識の重さで沈んでいる、そのところに飛躍と冒険の種子を見なければならぬ。東洋の無……それはゼロへ向って収斂するマイナスのエネルギーであり、その爆発的な反作用の力に民衆の異様な創造の発端を見ない者はついにアジアの何たるかを知らないのである。

表現の核心が無である。このことをぬきにして生活語の素朴な実在のみに頼るならば、デカルトの懐疑にも毛沢東の夷狄の感覚にも無縁の、直訳された標準語に陥るであろう。すでに破産してしまった俗流大衆路線はこの翻訳され、単純化されたリアリズムとそれ以前の否定形による肯定とを同一視してしまったのであった。だがそれを攻撃する側にもおのずから弁証法の適用に関する対立があるのだ。

いずれにせよ、生活語と組織語の断絶という事態は今のところたやすく解けるきざしはない。方向を異にする二種の言葉が互いに伝達不能の状態であるかぎり、我々は掘り返されて棄てられた土地のような言葉しか持ちうるはずがない。とがった棒で脇腹をつつくようにして大衆も知識人もしゃべりつづけている。どちらも方程式のXを真の定言命題であらわすことができない。つまりかんじんのことは何もしゃべっていない。回路はどこにあるのか。希望はただ我々の言葉が流動する沙漠のように目まぐるしく変っていること、その原因になっている二箇の中心の存在がある種の遠近法に役立つかも知れないことにある。のたうち廻っているかぎり、死んではいない。ではいさぎよくこの混沌に身を任せ、相互の拮抗関係を一身のうちに住まわせるよりほかないではないか。大げさにいえば、それはアジア、アフリカとヨーロッパの関係ですらある。

生活語で組織語をうちやぶり、それによって生活語に組織語の機能をあわせ与えること――それが新しい言葉への道である。そのためには沈黙する重さを表現する重さへ変化させる強大な電流の下向きの衝撃が必要になる。逆さまにたたくよりほかないのだ。倒錯は必至だ。大衆と知識人のどちらにもはげしく対立する工作者の群……双頭の怪獣のような媒体を作らねばならぬ。彼等はどこからも援助を受ける見込みはない遊撃隊として、大衆の沈黙を内的に破壊し、知識人の翻訳法を拒否しなければならぬ。すなわち大衆に向っては断乎たる知識人であり、知識人に対しては鋭い大衆であるところの偽善の道をつらぬく工作者のしかばねの上に萌えるものを、それだけを私は支持する。そして今日、連帯を求めて孤立を恐れないメディアたちの会話があるならば、それこそ明日のために死ぬ言葉であろう。

（一九五八年六月「文学」）

ペンでうらみを晴らす道

先日、私たちが出している雑誌「サークル村」で「産業別に見たサークルの肌ざわり」という座談会を企画した。福岡県下の大労組である炭労、八幡製鉄、教組、国鉄、全逓のサークルからそれぞれチャンピオンを出し、産業別に異っている労働者の顔というものがあるかどうか、あるとすればどんなちがいか、その原因はどこにあるか、サークルはそれを意識しているか、その特異性が一方では狭さにつながっているところをどのように克服しようとしてきたか、その作業が単位サークルのワクのなかだけでは有効に進められない限界をもってはいないか。とすれば、どのような組織と方法が単位サークルのワクの外で必要になるか。という諸点を語りあってもらった。

当日司会した「せんぷりせんじが笑った」の作者上野英信の報告によると座談会そのものはあまり香ばしい成果をあげなかった。チャンピオンたちは労組の文化部などから推挙してもらったのではなく、私や上野が足まめに歩き、ケンカを売り、そのケンカを買う勇気と反応を示してきた人々であったのだが、マイクの前でしゃべることに馴れない彼等はもじもじしたり、テープレコーダーが空しく回転しつづけると現金が流れさっていくように感じたりしてうまくしゃべれなかった。それはともかくこんな問題を今まで漠然と感じてはいたが、はっきり考えてみようとしなかったという告白が多かった。ところが、失望した司会者が一旦会を閉じようとすると、彼等は初恋のひと目惚れといったぐあいに、相手を親しげに見やったまま、いつかな席を立とうとせず、これからも会いたいとつぶやき交していたそうである。

企画を打合せているとき、私たちは「炭労のドンと来い、製鉄の思案投首、教組の夢まぼろし、国鉄のやぼったさ、全逓のケチンボ」などと毒づき、それらが白熱的にわたりあうことを挙闘ファンのように期待したのであったが、この深窓の令嬢のごとき結末にはいささか落胆せざるをえなかった。けれども、蜜蜂のようにあちらこちらのサークルを飛びあるいて蜜を吸ってきた私や上野なぞが一種の道楽者でしかなかったことをこの事実はよくあらわしていると思う。これまで労働者のなかの文化活動家の尻を引っぱたいて、彼等の限界を思い知らせることはずいぶんやってきたつもりであったけれども、彼等が自分の全身像を眺めるに必要な手続きを私たちが充分に用意してきたとはいえないし、かくいう私たちが——たとえば上野と私がはじめて会ったのは今年初めであるという風に——十年も九州の北と南でやり、お互いを薄い絹をへだてたくらいの温度で感じあっていながら、その交流を偶然にまかせていたのである。つまりそこでは文学の創造方法論と組織論が密着していなかった。今にして私たちは同じ屋根の下に住み、私と上野がミソ汁の作り方に至るまで感覚の異なる次元を所有していることを確認しつつ、共同作業場を建設したのである。

階級の顔、と毛沢東は言った。しかし今日まだ産業や地域や世代にへだてられた労働者階級は単一の顔をもってはいない。それを集めるならばピカソもどきの怪物の顔になるだろう。その立体感こそ新しい文学の肌ざわりでもある。

それが全く実行されていないわけではない。福岡市の全逓の連中はある会合で炭労系のサークルから「君らは勇ましいことをいうが、炭鉱の底にもぐっているおれたちの感情などわかるものか」といわれ、憤然として「おれたちが労働者の創造活動という原則に立つかぎり、ここは分る、あそこは分らないなどとは言わせないぞ」と答えて、炭鉱町までおしかけていった。豪雨のなかで対談しているうちにあやうく坑夫たちのサークルは解散しちまおうかというところまで追込まれたが、夜中の二時ごろ、「解散などといってもおれたちはもう離れられなくなっているからなあ」ということで基本的な態度を再検討、再編成することになった。

こういう眼でみると、野間宏が言っている専門家とサークルの交流という命題は、いまサークルが必要としている組織論にあまり役立たないだけでなく、それが一つの突破口として提唱されているうちに組織論と創造方法とをきわめて低い温度で混同している結果になっている。そして、この見解に反対している関根弘や久保田正文の意見は二つのものの混同を戒しめる点では正確だが、それはあくまで区別をあきらかにしただけのことで、両者が関わりあい干渉しあう地点を示していない。知識人にとっては区分の論理は概念の範疇をくっきりして思考をすすめる意味で便利だが、労働者はさらにその上に立った綜合……いわば混沌として全一的な、より高次の、そして当面の結節点を求めているのである。これに対して組織論的な側面についてはほとんどなんらの関心も示していない、たとえば佐々木基一のような「革命の文学」論もある。

創造上の方法論が創造運動上の組織論と切り離しがたく結びついていなければならないこと、そこを混同するのでもなく、区分するだけでもなく、無関心にちかい冷淡さを示すのでもなく、芸術の死活にかかわる問題としてにぎりしめようとする態度——それはすくなくとも新しい芸術の内的な特徴を支えるテコである。にもかかわらず、この自明の場所をすりぬけて自分流の避難小屋を作ろうとする者がいかに多いことか。

私のところに、発狂した父が強姦殺人のぬれぎぬを着せられ、疑いは晴れたが一家はそのために苦しみぬくという生活記録を持ちこんだ失業労働者は、それが活字になると聞いて「私は法事をしたこともないけれど、これがお経のかわりになりました」とつぶやいたし、またある田舎町の婦人サークルのひとりは、五十を越えた失対労務者の叔母が妻子のある監督といい仲になり、もうひとりの婦人労務者とその男を奪いあって負けたとき、「五十になっても心は二十だよ、ねえ、引揚の途中で父なし子を生んだやつなどとののしられ、このまま引っこむのも口惜しすぎる。創造方みち子、ひとつこれを小説にでも書いて女の気持を晴らしてくれ。」と頼まれたという。

法と組織の必然的な関係などと小むつかしく言うまでもないことかもしれない。「ペンでうらみを晴らしてみせる」という執念深さがありさえすれば、おのずから手口も探せるであろう。職場作家が一回的小説家（一篇書いたきりで消えてしまう作者）になりがちなのをどうするかとか、記録とフィクションのいずれを選ぶべきかとかの議論などは、どうもその辺の性根のあいまいさにすぎないのではないか。

国民文化全国集会第一日の文学交流会で、久保田、佐々木、関根やサークル・メンバアの発言を聞きながら、私の頭のなかを流れていた問題意識とはまずそんなものであった。

（一九五八年九月二九日「週刊読書人」）

さらに深く集団の意味を

一つの村を作るのだと私たちは宣言する。奇妙な村にはちがいない。薩南のかつお船から長州のまきやぐらに至る日本最大の村である。九州山口八県のサークル活動家がすでに住民登録台帳に姿をあらわしている。もうひとつ忘れてならないのは私たちの「沖縄県」であるが、残念ながらそれはまだである。登録者の数はこれからであり、日々ふえている。その一人一人はそれぞれの単位で大切な動きをしている。村は近い将来はなはだにぎやかになるだろう。一年間に千名の人口。それが仮役場の仮書記が鼻眼鏡ではじいた推定数である。もとより、東京を九千万人の村だと考えている私たちにとって、上下水道と糞尿処理に計画性をもたない人口増加が危険なことは熟知している。けれども、全九州の数十のサークルに所属するメンバーが一つの雑誌を軸にしてあつまるというような事実は、それだけでもかつてない現象である。それに加えて、村のなかに県があるという逆説を、私たちが村と発音するときのきびしくふるえる心もちと向きあわせるならば、故郷のサークル運動がやっとこのような広い場所をみつけだしたよろこびを率直にあらわしてもよいだろう。

平凡な発想ではあるが、この裏には中途でくじけたり、むだ花に終ったりしたぼう大なエネルギーがかくれている。たとえば福岡県水巻町の日炭高松炭鉱では昭和二十一年から今日まで実に十三種のちがった名前をもつ文学サークル機関誌が発行されてきた。この努力のなかには数えきれないほどの誤りとほぼ同じ量の血がふくまれている。今日のサークルが昨日の工作者の血を吸って育っていることは記憶されてよい。

そして雑誌創刊の過程で、私たちの運動は北部九州のサークルを広く刺戟し、内部闘争をまきおこし、多くの活動家を結びつけ、さらに北部九州と南部九州の交流の端緒をひらいた。このことの意味はやがて創造活動にあらわれて証明されるとは思うが、これまでのサークルにつきまとっていた自然成長性——自分だけの実感に頼りすぎるためにかえって自分を狭く浅くしばっていた欠陥を改める組織的保証の第一歩が得られた、と私たちは考えている。

ただし誤解をさけるために次のことはハッキリしておかねばならない。私たちがやろうとしているのは一つの創造運動であって、九州のサークル運動全体の代表権を占めてしまおうとするものではない。つまり、単位サークルを結集し、これを組織的に指導する機関ではない。私たちは九州のサークルがまだ微力であり、未熟であり全分野を組織として網羅してみたところで大きな役割を果せる段階にはないと判断している。こんな状態で十把ひとからげの統一をあせることはサークル本来の創造と自由への精神にかえって有害な結果をもたらすだろう。もともと私たちは「死せる魂」を買いあつめるやり方を愚劣きわまるものと信じていればこそ、民衆の文化創造に熱しているのである。私たちが組織加入でなく個人加入の原則をとった理由はここにある。それは同一平面における交流のための舞台であって、どのような意味でも単位サークルをしばるものではない。文化とは内容をもってしか浸透することのできない或るものだから。

いつの日か、全九州のサークル運動を組織の力で前進させるための協議形態が設けられるかもしれない。それは望ましいことである。運動であるかぎり組織を必要としないはずはない。私たちはそれに努力する。けれどもそのような事態の下でもなお、私たちの運動はますます必要とされるだろう。組織は内容の自由な発展を保証するものでなければならない。私たちは自分の運動を唯一のものと考えそれを組織的におしつけようとはしない立場をもつ。私たちの運動は民主的な創造運動の一つであるが、全部ではない。

しかし、それだからこそ、私たちは自分を熱心に主張するだろう。私たちの村が単に地理的な版図の雄大さを誇るものでないことは当然であり、一つの思潮に裏づけられた最大公約数をもっているのはあきらかである。私たちはこのことを発刊にあたっての「よびかけ」のなかで次のように表現した。

いまや日本の文化創造運動はするどい転機を味っている。この二三年うち続いた精算と解体への方向を転回させるには、究極的に文化を個人の創造物とみなす観点をうちやぶり、新しい集団的な荷い手を登場させるほかはないことを示した。労働者と農民の、知識人と民衆の、古い世代と新しい世代の、中央と地方の、男と女の、一つの分野と他の分野の間に横たわるはげしい断層、亀裂は波瀾と飛躍をふくむ衝突、対立による統一、そのための大規模な交流によってのみ越えられるのであろう。共通の場を堅く保ちながら、矛盾を恐れげもなく深めること、それ以外の道はありえない。

新しい創造単位とは何か。それは創造の機軸に集団の刻印をつけたサークルである。にもかかわらず地方に土着して働く者、われわれのサークルは、なおも内部闘争の必然性に立たない甘さ、危機感をもたぬ清らかさ、展望することを知らぬ狭さに蔽われている。たとえば、文学は雄大な長篇をもってわが九州の山野を描きつくそうとする闘志に至りえず、むしろ広い規模で情熱の衰退がみられる。とくに北部重工業地帯の巨大な職場で運動はすこぶる低調である。創造よりも鑑賞、鑑賞よりも娯楽へ流れる傾向は、音楽と映画の面でもいちじるしい。作詩作曲運動をぬきにした「うたごえ」の新たな飛躍は考えられない。批評性の確立をおこたって映サ協や労音の前進を望むことはできない。絵画、写真などの美術部門は展覧会、コンテスト用の遊戯にむしばまれ、演劇もまた単なる発表欲の充足にとどまっている。学習サークルはいぜんとして少数孤立のままであり、生活記録や話しあい運動はその自然成長性をぬぐいきれない。そしてこれらを通じて自律性の確保と労組への協力という二面を統一した理論につらぬかれていない。また北部九州を中心とする労働者と南部九州を主とする農民との内面的な血のつながりの上に立って、民主的な力の構造を明らかにし、その視野をひろげ、全日本の文化創造の上に寄与するという巨視的な観点は決定的に未熟である。

もしこの状況がうち続くならば、われわれの創造がついに素人の手すさびに終るだけでなく、今日存在している表現のかすかな自由すらも包囲され、ふみにじられる危険がないとは断言できない。それは根源的であるが故に焦眉の問題である。われわれは一箇の大きな土管を九州の大地に埋めて、みずからの暗いエネルギーを流しあうべき時期にきたと判断する。力の結集は困難ではあるが、そのゆえにこそまず自己のイメージをはっきりと見るべきであろう。

すでに中央では全国のサークルを幹線とする綜合雑誌の計画が進められているが、それと協力し、補足しあう意味をもって、ここに全九州のサークル交流のための新雑誌の発刊を提唱したい。新雑誌は次のような構想に立っている。

（A）全九州（山口県をふくむ）の各分野にわたるサークル活動家を結集した、それ自身が一個のサークルであるべき大きな会員誌である。

（B）これによって全九州的なサークル活動を展望しつつ集団を基礎とする創造の現在時点をとらえる。

（C）さらにこの活動が分散孤立の現状にある地方サークルの組織化への動力となる。

このよびかけの背景には、主として次のような問題点が考えられていたのである。

第一、そもそもサークルとは何かという原理的なつかみ方がなされていない。サークルが過去の社会経済的な土台のどこに根ざし、未来においてどのような位置をもつであろうという巨視的な展望がない。この点では知識人のサークル論もほとんど対症療法の処方せんでしかない。私たちはまず自分の力で実験と討論をかさね、サークル活動の理論化にとり組むべきであろう。

第二、サークル構成員の生活および創造の態度に一種の中間性がつきまとっており、名目だけは集団意識を強調しながら、その地点をいかにも甘く通りすぎている傾きがつよい。集団ということばは単純だが、そのなかみはたいへんな重さを持っていることをつきとめなければならない。

第三、以上のことからひきだせるように、理論的には低く、感覚的には軽いという事実は、現在のサークルが対立の持続に耐えられない結果をもたらしている。そのため対立点をぶっつけあうのが交流だという大胆な、開放された気分をもたない。

第四、だから意識的に交流をつくりだす立場、つまり工作者の精神がサークル結成の時をのぞけば急速におとろえてしまいやすい。とくにリーダーだけでなく、サークル員全部を工作者にしてゆく努力はゼロにひとしい。

果して、三カ月にわたる創刊準備の期間に、右の諸点については白熱した議論が集中された。それは単に創刊に参画したメンバーにとどまらず、いくつかの単位サークルのなかに深く針をさしこむこととなった。私たちは結論を急ぐものではないが、このような問題を意識することが現在のサークル運動に或る明るさをあたえることはうたがえないと思う。むしろ、私たちはこのような問題意識を抱いたという事実に、なによりもまず「サークル村」の存在意義をみとめたい。私たちが自分の活動を創造運動と規定する大きな理由もこの点にある。したがって討論は「サークル村」のあるかぎり続けられねばならないし、いうまでもなく単純な解決はありえない。いわば解決なき矛盾が深まってゆくかどうか、その過程で浅い矛盾が吸収され、消えてゆくかどうか、それが未来の鍵である。

この意味で現在、私たちのなかにある主な意見の一部を紹介して今後の討論にまちたい。

サークルとは何か。その発生を民族の伝統のうちに探れば、共同体の下部にあった民衆の連帯感とその組織にあるだろう。マルクスが『資本制生産に先行する諸形態』のなかで分析した、共同体のギリシア・ローマ型、ゲルマン型、アジア型という三つの類型は、未来の共同社会組織の機能とその民族的特質を考えるうえに、とくに重要であると思われる。まずそこでは戦闘と会議と生産の三種の機能の一つがそれぞれの共同体の特色となっている。この三要素はもともといかなる共同体のなかにもふくまれている側面であるが、過去においてもそうであったように、未来においてもおのずから一つの共同社会が渾然と形成されてゆく過程には、それぞれ異った側面を特徴とする数種の共同組織が相対的に独立しつつ協力しあって存在する、と考えるべきであろう。

つまり今日は資本主義によって破壊された古い共同体の破片が未来の新しい共同組織へ溶けこんでゆく段階であって、そのるつぼであり橋であるものがサークルである。歴史は社会の共同体的契機を階級的契機が圧倒してゆく過程から、その極限状況に達したところで逆転して共同体的契機による階級的契機の克服、止揚という過程をたどりつつある。したがって広い意味でいえば未来社会に生残ることが予想される前衛政党、労働組合、協同組合、青年婦人の組織、その他の大衆組織はことごとくある面で一種のサークルである。けれども狭い意味で、今日の日本のサークルとは文化サークルのことであり、その他のサークル的組織とは機能を異にしている。共同体の眼で見るならば、政党、労組などは一種の戦士共同体であり、青年婦人の組織などは会議共同体、協組や文化サークルは生産共同体であるといえよう。そして階級の緊張がうすれてゆくにつれ、これら異種の共同組織の境界もとり去られてゆき、しだいに融解しあってただ一箇のコンミューンになってゆくであろうことは充分に察せられる。

しかし現在の段階ではこの関係がなおある程度の機能と構造の差にもとづく対立感をもつことは自然であり、むしろ生産的であるとさえいえる。たとえば労組は主要な機能として外側に階級闘争という分裂的要求をもつがゆえに、内部の統一をいやが上にも高めなければならないし、サークルは外側に集団創造という統一的課題をもつために、内部のはげしい断層からエネルギーを汲まなければならない。機能のちがいが構造上の対照と向きあっている。だから労組とサークルの不統一を問題にする際に、無条件にあるべき姿として両者の完全一致を前提にすることはかえって結果としては分裂をもたらす。また両者は全くの別物だとする見方もサークルを意識の面で自然成長のままに放任する役割しか果さないであろう。両者の基盤の共通性と機能・構造上の差異はうたがえない。それだからこそ両者は互いに裏表から拮抗しつつ結合するのである。そしてまた会議という形態を主とする共同組織は以上の二つに分化する前の段階と、それを統一したのちの段階との二種があるであろう。

生産（創造）型の共同組織としての日本のサークルはさけがたく村の講中や四国遍路の同行者たちのふんいき、すなわち前サークルの気分を背景に持っている。このことの長所も欠点もまたマルクスのいわゆるアジア的共同体の二重構造論にその根源をみいだすことができる。上級共同体または専制権力が変っても下級共同体がそれにつれて直線的には動かないという事実は、他方では下級共同体をして自分たちが権力の中枢ではないにしても、そのかすかな部分にはほぼ常時参加しているという意識をもたせ、権力への反抗はつまるところ或る共同体的系列から脱退して、他の系列へ新加入することでしかない。そこでは反抗の意志が相手方の打倒ではなく、相手からの離脱に向けられている。これは現在の日本人にも強烈に存在する「村八分」への恐怖、それに反抗するものが一種の隠遁の形をとる裏返しの心理につながっている。単にサークルを脱退することで、何らの意思表示もなしに消極的に批判している大衆の批判の内容を汲みあげることと同時に、このような消極性をかしゃくなく痛撃することは大衆の思想改造をになうサークル員の義務である。

けれども他方、大衆の意識がしつこく古い共同体の思考スタイルから変っていないことは、近代主義者たちのいうようにその形態を破壊して、個人意識を一度通過しなければ発展しないとする立場を擁護するものではない。もちろん、それは半分の真理はもっている。しかし、大衆の共同体的思考の本質は決して単純に家父長制そのものの機械的な反映ではなく、いわば家父長制の表現をとった横の連帯感の潜在という事実にある。なぜこのような現象が生まれたかといえば、おそらく下級共同体の自給圏があまりにも狭く小さかったために、相互の思想伝達の壁がさほど厚くなく、したがって観念をはっきりと表現しないままに感情を流通させ、言語は上級共同体の支配用語を借用するといった便宜主義が、存在した結果であろう。そこでいわゆる東洋の無――沈黙・空白を核心にすえた表現がどのようにその質をこわさないままで顕在化されるかが日本文明のまだ達成していない要点であり、サークル創造の主な目標ともいえるのである。

ではなぜサークルがこのような部面で不可欠の役割をもつのか。それは一方でサークルが古い共同体の気分を或る濾過装置を通していささか純粋な連帯感として反映しているだけでなく、他方で日本文明の論理世界をもっとも通俗的に表現しているからである。つまり実感と理論がはなはだ低温低圧の状況下でまじわりあっている集団として、典型的なバランスにおかれているからである。いわば、日本文明の恥部がそこにさらけだされているという意味でサークルは知識人と民衆の両面に対する断絶が比較的にすくない領域である。だからこそ、それはみすぼらしい実験装置としての価値をもつ。とすれば、サークルを或る上向的なもの、健康さの象徴とみなすのは百八十度あやまりであって、客観的にあるところのサークルを通俗きわまりない日本人の文明世界の忠実な鏡と考えることが重要である。逆説的にいえば、病の浅さがとりもなおさず病の深さであり、病の深さこそ……もしそれが徹底的に意識されるなら……或る種の健康さのしるしである。

サークルとは日本文明の病識を決定する場所としてこのうえもなく貴重な存在である。その一義的な病因はどこにあるか。それはサークルの集団的性格が必ずしも開放の方向へうごかず、自己閉鎖しやすいことである。言葉をかえれば、単なる自己防衛または自己増殖を発展とみなしてしまう占有感覚である。それは農民の定着性、下級共同体の自衛の姿勢、その規模の狭さなどが原因であろうが、このワクをどうして下から、内側から破っていくかが目下のサークルにとっても最大の問題である。共有感覚がいつのまにか外部に対しての占有感覚になってしまうという喜劇と戦うためには、単に歴史の分析や論理の補正をもってしては動かせない部面がある。創造と生活（労働）の律動が一緒でなければならないという観点をまともにムキにおしすすめて、創造の結果だけでなくその全過程に集団の息吹きをこめようとするもがきがなければならぬ。それは常にとどのつまり集団に帰着する運動としてとらえられねばならず、個人に帰着するものはサークルとみなすことができない。

サークルの実感は尊重さるべきである。それは政党や労組が最終的には多数決の原則による民主々義の量的な側面に依拠するのに対して、民主々義の質的な側面を充実する。しかし実感主義は否定さるべきである。それは実感そのものにも二種類の異質な系列があり内部に閉鎖されることで完成しようとするものと、外部へひろがり自己を越えることで矛盾を深めもう一つ大きな自己、大きな集団へとけこむものを区別できないからである。

サークルは今のところ丸山真男のいわゆる理論信仰と実感信仰を同時にそなえた、すなわち内部分裂をかかえこんだ集団である。それを恐怖する必要はない。それこそようやくにして現代における組織人の思想的、芸術的出発点である。だから、自分の狭さをうちやぶることはただ幅広く交流すればよいというような、いぜんとして量的な視角にとどまるものではない。異質のものを自分のうちにくわえこみ、ひきずりこんで食べてしまうことでもない。そればかりでなく、相手にも自分を消化させるためにおしつけ、自分の異質の肉を食べさせなければならない。

ここで工作という機能の位置づけが問題になる。単純に表現すれば、高くて軽い意識と低くて重い意識を衝突させせつつ同一の次元に整合するという任務である。このことは当然に工作者をして孤立と逆説の世界へみちびく。彼は理論を実感化し、実感を理論化しなければならない。知識人に対しては大衆であり、大衆に対しては知識人であるという「偽善」を強いられる。いずれにしても彼はさけがたく「はさまれる」。この危機感、欠如感を土台にした活動家自身の交流が現在の急務である。

集団という一個のイメージを決定的な重さでとり扱うこと、創造の世界でのオルガナイザーを創造の世界で組織すること——私たちの運動はただそれだけをめざしている。

（一九五八年九月「サークル村」創刊宣言）

II

東洋の村の入口で

未知のあなたへ。私とあなたがいかに深い兄弟であるか、知っているものはただわびしい日本の山水でありましょう。私が語りたいのはその証明に役立つひとつの触感についてであります。スターリンが法則とよび、武蔵が世々の道とつぶやいた土まみれの愛のまぼろし、その乳色の光についてであります。

詩人を自称し、詩の外の形式で詩について語るという現代の習俗は、私にとって一種の苦役であります。だがもし私が伝えたがっているこの触感を鋭敏な虫のように受けとっていただけるなら、二三十の詩篇を風に吹きちらしたばかりに甘受せねばならなくなった刑罰にもなにがしか楽しい気分がわくというものです。

いったい論理にもとづかない理解、ひまわりが太陽の方へ向くような理解は存在しないものでしょうか。私がねらっているのはこの感触をそういう風に伝えることです。というのはそのような人間関係こそ私の幸福の理想なのですから。劇的な要素を冷笑し、もっとも簡略な説明でなるべく深刻な打撃を与えあう愛、いわば釜の湯と炎の関係に立つ愛、そういう性質の愛を私は長いあいだ奇妙な、盲目的な方法で求めてきました。そして幸運にもかなりの数の友を得ました。彼等なしには一篇の詩を完結することも難しかったでしょう。かつて私を詩人扱いなどしたことのない彼等がいなかったら。

彼等……水呑百姓から知識人にいたるこれらの知己は乳母のように眼を細めて微笑するのです。〈困ったひと！　だが思いどおり進みなさい〉とでも言うように、まるで私が彼等に害を与えるかもしれないなんて考えたこともない信頼の色をあらわして。このような魂にとりまかれて詩人にならずにすませるにはどうしたらよいでしょうか。ここに詩人の生誕物語の最もありふれた、かつ模範的な例があります。

ひとりのあわれな自我狂を創造の方へ、原則の方へ、集団と組織の方へよろめき歩かせてやまない静かな無私の微笑、古い愛の形相をたたえた奥部のやわらかさ、そして行為の一点一画を見のがさないきびしい視線……これこそ小さな個我にふるえる詩人をつつむ実在の詩でありました。ちょうど歴史に書かれた歴史と実在の歴史があるように、詩にも書かれた詩と実在の詩がありま す。私達は単なる記述者の光栄をあまりに拡大しすぎる傾きはないでしょうか。

他方いささか心外な光景にもたびたび出会いました。彼等にくらべれば大方の理論家や実践者などは月夜の狼でした。硫黄のガスを噴いて緑を枯らし鳥や昆虫を殺す荒涼たる河原でした。なぜこのような現象がありうるか？　私がその答らしいものを得たのは労働者の闘いの渦から一歩身を引いて、病を養うために流浪しはじめてからです。私は農民世界に入りました。そこから見れば、工場は野にみちる光から追われた蝙蝠の住む洞窟でした。私は知りました。人間心情の始源をてらす未分化の愛と飢えて肌寒い思想とが雷にうたれた老木のように一つの幹から引き裂かれているさまを。

　自然の大仕事場、貯蔵所である土地と人間の決定的分離……これが詩人に対する資本主義の意味であることを。

　私は経験の蔓をたどって降りてゆき「農民」の根をみつけました。そこから枯れかかった近代主義が伸びていました。二種類の農民……大地のかぎりない創造力によっているものとそこから引き離されたものとの対立。私が現在の進歩思想の中には一種の近代主義がふくまれており、わが国の近代主義とは大地から引き離された農民の、裏返しの農民主義にすぎないと規定したのはこういう事情からでした。

　そこで再び問題が生れます。かつての軍国主義を支えていたものもやはり静かな微笑、村の娘たちの愛ではなかったか、と。まさにその通りです。だからこそ私達は十年たっても息子を戦死させた炭焼きの老人を進歩の側へ移すことに成功しなかったのです。すなわち今日の進歩主義をかつての軍国主義の矛盾の裂け目から、それを土台として咲かせることに失敗してきたからです。民衆の軍国主義、それは民衆の夢のゆがめられた表現にすぎません。日本の民衆の夢とは何か。

それはアジアの諸民族とおなじく法三章の自治、平和な桃源境、安息の浄土であります。それは古くかつ新しい夢、昨日も今日も生きている夢であります。知識人すらアジアにおいては権力を離れ、素朴な田園に帰ることを生涯の魅惑としてきたではありませんか。軍国主義に全く侵蝕されない無きずの抵抗をしなかったと責める者、ある種の抵抗があったと反論する者などがありますが、どちらも私にはあまり興味がありません。国民の決定的多数を占めていた質朴、誠実な軍国主義——これが進歩と平和の側へ転じるのは理の当然であり、ありふれたこの世の真実であることを論じてもらいたいのです。

この見地からして、民衆の理想のまぼろしはどのような現実の歴史的存在に対応しているのでしょうか。私はこれを村落の協同生活、一口に言って「東洋的共同体」の底辺であると考えます。東洋的形態とは、小さな集団である下級の共同体の上にそれらを統一し従属させる専制的な上級の共同体が存在することです。すなわちここに老子の「小国寡民」と孔子の「治国平天下」が向きあっているのです。下級のそれが「無為にして化す」民衆の横の連帯であれば、上級のそれは「礼」と「仁」で義務的につながれる家父長と家内奴隷の関係です。

日本の民衆が永きにわたってあこがれ、民衆自身が分けもっている乳色の素肌の光り……それは下級の村落共同体から流れ出し、今日の大地をなお蔽っている規模の小さな連帯の感情ではありますまいか。この東洋の村の思想こそこの世の壁の幾重を通して貧しい私のなかに流れ入った光りの本体ではありますまいか。そして西行が一本の杖にすがり、芭蕉が「その貫通するものは一なり」と叫んで求めていった無名民衆への愛はわれしらずこの遠い源流へ向っていたのではありますまいか。総じてこれは平和と協同をめざす孤立的な、無政府的なサンジカリズムではありますまいか。民族固有の進歩思想の前期的形態ではありますまいか。

私の地方の民話に次のようなものがあります。旅人が山中で迷っていると微かに鐘の音がきこえる。空耳を疑いながらそのあとをたどると大きな寺に出る。だがたずねてみても誰も鐘をついた者はいない。つかずの鐘――私の耳には今日もその余韻がきこえます。それは道元を越え、雪舟を越えて一つの寺、無限のひろがりをもつおおらかな平和と協同の情念にたどりつけときこえてくる。これは果して私の空耳でしょうか。

（一九五五年一二月「現代詩」）

「農民」が欠けている

これは田舎者の断想であります。あの、たえがたい真っ昼間のわびしいほこりからうまれた論理の胎児、あるいは片眼の思想であります。

※

私は或る種の運動を思いうかべます。それは普通によく知られている人間の群の力学とでも呼ぶべきものなのですが……。

二つの極、一方に炭焼き、木こり、漁夫、竹籠作りの職人、水のみ百姓などがあり、他方に坑夫、金属工、船乗り、紡績女工、ならず者、階級の低い兵士、売笑婦などの群があります。前者は東北地方に比較される広い貧農地帯、私達の故郷、南部九州に。後者は鉄と炎の北九州、阪神、京浜に。

この両極は互に相手がなくては生きてゆけない、永遠に憎みあう男女のように、また一つの井戸から命の源を汲む二つのつるべのように親しく存在しております。精巧な藤細工のように裏と表から絡みあい、引っ張りあい、反撥しあい、微妙な力の均衡を創り出しています。

この観念を得ることはさほど困難なことではありません。田舎町に住む私は毎日これら地の影が組合せられ、もつれあい、崩解してゆく様をながめているのです。

※

私達の町のポストには悪魔に身を売りたいという欲望、杉林に斧一挺で飢えるよりもアスファルトで踵を擦りきりたいという願いが日に何通も何通も放りこまれます。そしてひとりの青年が残酷な契約に向って旅立つとき、ひとりの棄てられた娘とふたりの棄てられた老人があり、もはやひとりの友もありません。私達の眼前の鉄道が売られた私達を運び出します。すべてを吸いとられた私達がいずれ眼前の墓地に帰ってくるまで。

生きてゆけないのです、私達の住民は私達の地面で。たとえようもなく痩せて傾いた狭い土地、はげしい気候――いいえ、それだって私達には豊かさ以上のものであるにしても、悪疫のような社会制度、波のように後から後からかぶさってくる人間的な災禍。そこで私達は自分を売ることはできようとも逃げるすべはなく生き、そのように生きてきた父祖らと共に生き、生きることを求めて生きているのです。何という弁証法。

私達を故郷から蜜柑汁のようにしぼりだし、砂粒のように閉じこめる、この力はどこから来るのか。

五年間というもの、私は瞑想する子供でした。

※

私達はいかにして大地から引きはがされ、大地に放りだされるか。この磁力を自分の腕に与えたいと望んだのでした。なぜならこの磁力の法則の逆用、完全な逆用によってむざむざ破滅の道を急ぐ幾つかの魂をその呪縛から解き放つことができると考えたからです。むろん私自身の魂もこのなかにふくまれます。

思えば傲慢な願望でもありました。この間に私の青春は羽搏きをやめ、水晶体は混濁し、跳躍する脚力は溝もとべないほどになりました。棘と殻と苦渋が残りました。

ただ私はおぼろげに日本の農民が現代文学の中で果した、また果そうとしている役割を感じたのでした。

※

明治以来のわが文学を小市民文学とプロレタリア文学に分類することは常套であります。農民はほとんど発言をもたず、それぞれの代理人に委任しているかのようであります。たとえそうであるにしても、では農民は現代文学に何の干与をもしていないでしょうか。いわゆる小市民文学においても、日本の市民がブルジョア革命の先頭に立ち、その手で農民に土地を渡した西欧の市民と根本的に異っていることは常識であります。それゆえ為すべきことを果していないという深い不安と焦りは明治以降の文学の主要な特徴であります。裏を返せばここに痛切な農民の要求と怒りを見ることができます。したがって一定の段階に対応する現代文学のすぐれた典型にはかならずそこに少くとも農民の心情の刻印、農民の姿が顕在していなくとも封建性を克服するための痛ましい戦が映っております。

この点が重要ではありますまいか。作家が所属する階級、階層よりも何が描かれているかによって、いかに描かれているかによって文学の本質を見るとするならば、わが小市民文学は暗中模索しながら反封建の叫びをあげてきたのです。それはいちはやく封建的な力と結んだブルジョアの声ではなく、「土地と自由」の約束を裏切られた者達の声でした。啄木、藤村、多喜二らの作品の優越性はここにあるのではないでしょうか。彼等はこの声の深い源が農民にあることを知っていました。というのは彼等自身滅ぼされていった小地主、小農民の末であったからです。私の考えでは明治以来の小市民文学をその根底で支えてきた者は日本の農民であり、むしろ裏切られた農民の知的復しゅうこそ現代文学の背骨なのであります。

※

しかるにわが現代文学の母を小市民と誤認した結果は浅薄な近代化の主張をうみだしました。日本の市民の大部分が大地から別離することを強いられた農民の変形であり、その生活感情と風習は安普請の客間と数坪の庭を色濃く蔽っているにもかかわらず、彼等は真の母を卑しむことによって自ら劣等感に陥り、低俗かつ形式的なモダニズムと破れかぶれのアナーキズムに埋没しました。

プロレタリア化を主張する立場でも、プチ・ブル性との対決が強調されるあまり、現代文学の根底たる農民を見落す現象が起ります。その結果、従来の現代文学一般を頭から否定し、遺産継承の連続性をたち切り、独断、排他の主観主義を作りあげ、実は感傷にすぎない怒号叫喚、事実羅列の官僚主義によって国民に背を向けます。

彼等は、いずれも農民という白鳥から生れながら自分の羽をからす色に染めたがっているのです。モダニズムの泥臭さ、革命的盲動主義の粗雑さはル・サンチマンとナチュラリズム、教条と経験の間をさまよい、個々の現象をつらぬく歴史的法則的認識を欠いた、ぬきがたい自然成長性のあらわれであって、これこそまだ目覚めない農民の思想の目印しであります。いわば私達は自分のなかの農民を忘れることによって、農民主義の柵に封ぜられているのです。

※

近年の国民文学論争で最も欠けていたものは、現代文学が国民的でない最大の理由が農民にあるという事実を落した点であると私は考えます。

怒号と事実羅列、官僚主義の「革命派」、幻想とやにさがり、無政府主義の「非革命派」を問わず、盲点はここにあります。これを克服しようとする国民文学論の盲点もここにあります。これら全体を通じて自然成長性——農民が自分をとらえている力の法則、これを解き放つ力の法則をつかんでいないときに起るさまざまの動揺を映しております。

かかるとき詩人は何をすればよいのでしょうか。創造者のなかの創造者たる詩人は。いかなるときも私達は民族の歌が生まれる大地のふところ、歴史の深いひびきが鐘の音を立てる場所に在るべき義務を持っている者ではないでしょうか。私達は実感を創る者です。

※

大地から出ていった労働者は決して農民を忘れません。それは彼がその母と従妹を忘れないように単純なことがらです。生命には心臓の鼓動が必要であるように、労働者には故郷が必要です。彼等は鍬を取りあげられた者のことばで語り、大地を追われた者の瞳で青空を仰ぎます。彼等は血と涙を支払って「労農同盟」の必然性を理解します。

生産する自然を相手どり、これを豊かにすることで食べている農民の誠実、豊富、柔軟な感性は地下水となって祖国の深部を洗い、大衆の統一結合のよりどころとなっています。その最良の純血の子こそ労働者であり、農民は全民族の母であります。ここに私達の側のマス・コミュニケーションの基礎があります。

そこで大切なことは労働者が農民のくびきを解き放つ唯一の力であるということ、すなわち農民の子が労働者の母を救い出すという法則を千変万化の事実を通して理解し、表現し、説得することであります。詩こそ最も人間的な武器、原子兵器の反対物ではありますまいか。

このためには私達自身がこの法則の被造物であることを確認し、足下の大地に立って人々と合作するよりほかありますまい。自分の作品が無数の人々との共同製作物であることを実感し得るまで立ち働らいてみるよりほかありますまい。現代文学がしばしば陥った傍観者の軌道に詩が再びはまりこむことを欲しないならば。

（一九五五年一月「櫂」第一〇号）

現代詩における近代主義と農民

田舎者であることを誇りにしているような私の唇を断乎たる力で開かせようと迫るものがある。私の住む西南九州、霧島を頂点とする火山灰地の斜面にひろがる広大な貧農地帯は北九州、関西への労働力給源地として、たとえば全国紡績女工の六割を送りだす日本社会の一陰極である。封建社会最大の内乱・島原の乱や現代社会最大の内乱・西南の役で血塗られた幾山河——ここに悪罵と憤怒をぶっつけあって住む三反百姓、木こり、炭焼き、漁師、職人、町工場の労働者、事務員、売笑婦などこの世に志を得ぬ百万の魂が波うっている故郷では、いま娘たちが一万円前後で売られてゆく。詩集ひとつに三万円かかるとしたら、その詩集は三人の処女の生命の重さである。北からは流砂のように職場を追われた人々が帰ってくる。その同じ汽車で運ばれてくる詩に彼等のよるべない心の何グラムが印刷されているだろうか。

魂の買手を求めてつかみあわんばかりにののしりあう我々の国、この貧しく巨大な水車がめぐる深夜の音をここで述べようとは思わない。唯彼等が百万人の「私」であり、一個の現代詩の鑑賞家であるならばどういうことになるか、という疑問に私は長く苦しめられてきた。無言の批評家、彼等の眼を借りて眺めようとした私は結局次のようにつぶやかざるを得なかった。

——現代詩、剛毅な庶民のくみしない、何という女々しさ
——現代詩、何という安っぽい嘘っぱち
——現代詩、何という混乱の混合物
——現代詩、何という成金趣味

畜生！　純粋芸術とか大衆服務とかいったってこの空々しさはどうしたことなんだ。これはまるで宦官と修道尼の世界ではないか。我々は何処かで根本的に誤っている。この泣きっ面は分析の必要があるようだ——と考えたのである。

※

たしかに外国の占領が見かけの上で終ってから、ここ五年間に詩の内容は変りはじめた。詩論も展開した。だがそれは民族——我々のまわりの人間——がたとえようもないみじめさのなかでもがいている本質に侵入せず、ある種の進歩的に見えやすい傾向の滑らかな面をすべっているのではないか。

詩論についていえばマス・コミュニケーションの検討、難解性の照明、伝統と断絶すべきか否か、抵抗詩と技法などの諸問題は西欧詩論の単純な模写から離れてとにもかくにも民族的条件の

上に詩論が始まったということ、詩の社会的機能が問題になりだしたこと、詩人の孤立性を弱めて全詩壇的討論の可能性を作りだしたことなどで、疑いもなく発展的であった。しかし討論はまだ機能論の周囲を自己流の言葉と論理でめぐっているにすぎない。それは機能によって生ずる構造についての認識を一致させる努力をしていない。また現在までの詩史は発生の順序を追うだけでなければ、発生の因果関係を『日本資本主義発達史』的構造論、すなわち社会の上部構造、支配機構の発達の面に重点を置いている。

だが田舎者の私にはどのような生産力の発展も、外国思潮の輸入もそれを民衆がどのように受けとめ、反応したかという点を除けば全く無意義としか思えない。有楽町の喫茶店のコーヒーの湯気に垣間見る「新しさ」「進歩性」を一蹴することが私の進歩、私の新しさでなければならなかった。

民衆の抵抗の歴史的構造に基いて現代詩を見よ! これがまず我が西南九州貧農の提言である。

※

『詩はまことに空しい。空しいものである。……実は詩の空しさを自覚することによって、かえって矛盾的には詩が生き、命を与えられ…』(五五年版「詩学年鑑」—詩壇一九五四年・長江道太郎)『労働者はいま大空を見たがっているんだ。しかしおれたち細胞は労働者の上におっかぶさって大空をみせなくしていたのだ。おれたちもおれたちの上にあるすばらしい大空をみようとしなかったのだ』(アカハタ五五年一月三日号、長崎住友潜竜炭鉱の記事)

この二つのもどかしさに首をしめられているような文章、一人の詩人と一人の機関紙通信員の感想にはなんという共通した感があることだろう。いわばそこには現代日本人の「原罪」とでもいうべきものが呼吸している。我々はまだどこか本当のものに手を触れていない。触れなければならぬ。触れるだけではなく、其のものと融けあわねばならぬ、一体とならねばならぬ、という緊張感。私もまたそこから出発する。

この見地から次のようなことがいえるのではないか。

いわゆる抵抗詩も純粋詩もその致命的弱点においては本質的に同一ではないか。いわゆる抵抗派の怒号叫喚は、純粋派の素朴な封建的幻想と裏表で対応しあっているセンチメンタリズムである。抵抗派のこちこちした政治論と事実のいまいましい列記をおしつけるやり方は、純粋派が虚無風の悲鳴と尻きれとんぼの断片をもったいらしく並べる香具師の口上と同質の官僚主義である。おお「不純な抵抗」派と「抵抗なき純粋」派よ、である。

これは断じて黒い詩と白い詩という風に区別する必要はない。いやしくも詩の分類である以上、それは創造方法それ自身に一定の内面的な対立関係を規定するものでなければならないが、現在の状態ではそれは詩の主題あるいは政治的態度で割切った区分でしかない。問題は創造理論において本質的な分裂があるかどうかである。

しかるに抵抗派は本来特定の世界観やそれに対応する特定の技法の原則を持つべきではないし、持ってはいない。なぜなら今日の抵抗が発生する地盤の広さからいって、自然成長的な抵抗をも無視することはできないからである。しかも最も鮮明な態度をもつコミュニスト詩人といえども、まだ社会主義リアリズム詩論を民族的条件の下に具体的に展開しえていない。もちろん今日の世界において抵抗の意義が芸術創造に及ぼす役割は限りなく大きい。だからこそ抵抗のための詩は政治的範疇を越えて生活の深部にひろがる可能性をもつ地点で抵抗しなければならない。ところが流派の創造理論をいよいよ明確にしてゆくことと抵抗のための詩と詩人の統一を拡大してゆくという二つの命題が甚だしく混同された結果、「抵抗派」の区分は詩壇の分裂をかえって促進するに至った。そして抵抗は一種の傾向性に堕落する雰囲気をもちはじめた。

抵抗は創造上の重大な基盤である。しかしそれはあくまで前提である。でなければ「純粋派」詩人が松川事件や水爆実験で行動したことの意義も全く空しくなるであろう。「純粋派」詩人の「抵抗詩」というものが存在しても全く不思議とするには当らない。ただしそれは同時に創造理論上の激烈な戦を一歩も妥協すべきことにはならない。一定の世界観は必ず一定の技法上の原則を伴う。世界観の一致と現実の特定段階に対する認識の一致とは峻別されなければならぬ。厳密にいえば流派は個々の世界観に従属し、抵抗は流派の同盟の上に成立つ。

我々の現代詩に対する態度はこの点でまだ混乱と不純さがある。

※

混乱はまだある。そもそも「現代詩」という用語法からして素朴な誤りがある。

周知のように近代とは封建制度を打倒した資本主義社会以降を指すのであり、したがって大革命以後のフランスは十八世紀末においてすでに近代社会となった。またスターリンが現代資本主義社会と呼ぶ場合、それは第一次大戦を契機とする帝国主義的金融独裁の段階を指している。

すなわち経過的に見て西欧ではまず近代が先行し、その新な一時期として近代の一部にふくまれる現代がある。しかるにわが国ではブルジョア革命をまだ完了していない現代があり、科学の示す正確な意味での近代はなお存在しない。つまり明治絶対主義以降の半封建的現代が近代に先行しているのである。

ところが往々現代詩という定義は『戦前の近代詩を超えて戦後はじめて我が国に現代詩が登場した』というように西欧的な意味で用いられる。西欧的意味で現代とは死に瀕した資本主義の社会であり、日本的意味では近代を実現していない半封建の社会である。

この用語法の誤りは精神の内部における重大な倒錯を示している。自らが近代を全社会的に所有していないという認識すらもたず、かえって尖鋭な近代風景を「私」の内部に創造しうるかのような錯覚のもとに。

ここに混乱の土台がある。我々の眼前の現代は前近代もしくは半近代にすぎぬ。これが我々の社会の根源的性格である。現代詩が現代的課題を現代的態度で歌おうとする限り、我々はこの中心問題……いかにしてかかる現代を現実に超克するか……という課題に対面せざるをえない。そのための必勝のプラン、誠実な実践が全集団の一分子として勝利の必然的進行を一歩一歩証明してゆくとき、はじめて永遠の人間性を形象化することが可能になる。これのみが現段階唯一の近代詩精神である。

我々の社会の根源的性格である半封建性を明確につかまないならば、どんな現象が起るだろうか。

※

第一にそれは民族的条件からの離反、外国思潮の機械的輸入をもたらすだろう。
第二にそれは原則のおしつけによって排他主義をうみだすだろう。
第三にそれは以上の傾向に対する反動的古典主義を養成するだろう。
これに関して特に私の言いたいことは、いわゆる純粋派（モダニズム派）抵抗派（プロレタリア派）のどちらも第一、第二の病患に侵されていることである。そしてこの地点から最近二つの偏向が生まれはじめている。すなわち近代主義と社会主義リアリズムの無原則的な妥協および古典主義の復活である。

少しばかり展望を試みよう。今のところ現代詩の主勢力は依然としてモダニズムである。まず戦前から生き残った近代主義について。

戦前の近代主義は戦後のそれといささか異る特徴があった。それは一面プロレタリア詩へのアンチ・テーゼであったが、他面反動的古典主義にも対立する意義を荷っていた。ともかくもそれは反封建・反軍国主義の課題を持っていた。だが少し精密に観察するならばこの抵抗が長い嵐のなかで変質していった過程がよく分るだろう。その傾向的側面は逃避的に崩壊していった。戦後に生き残ったそれはもう白昼の月でしかない。その詩法の特色は自己を疎外した非人間的な客観主義であり、人間を自然的存在と見てイデアの生成過程を自然成長性の中に発見する。そこから社会の法則はついに生れえない。裏返せば人間行為の責任を抽象化するための極めて便利な方法である。社会の代りに自然を、人間の代りに物を、行為の代りに皮肉な無関心ぶりを、そしてそれがモダーンなのである。これは竹林の清談ではないか。テレビの前で歌われる黒人霊歌ではないか。現代風の淡い色調を帯びた古典主義に帰着するのではないか。

戦後の近代主義にはもう反動的古典主義への反撥という実践的意義はほとんどなかった。モダニズムは占領者が好んで工業化した原料であった。自己の歴史に一貫した誠実さを発見することのできぬ不安感、危機感を生や死や愛の抽象観念で装飾し、これを自我と呼び、結論のない神秘と婚わせること……彼等はこれをカトリシズムとさえ称した。しかしそれはカトリシズムですらなかった。それは思想の蛭児でしかなかった。不安と危機こそ民衆にとっては前進の契機であり、変革の動力であるのに、彼等はこれから逃れ去ろうとして生活そのものから逃れ出し、かえって不安と危機を永遠化し固定化して一枚看板にした。彼等は認識を確定するものは創造であり行為であること、手ずから摑みとることが確信することであることを理解できないので、すべてを疑う程度にすべてを愚信することができる。「女」や「夜」や「骨」などに手あたり次第しがみつく。自己の外なる、ふやけた観念を自己の恥部にあてがうことを美と思いこむ。これはむしろプロテスタンティズムではないか。他力本願の涙もろき俗物宗ではないか。破滅を恐れるものが破滅にすがりつくロマンティシズムではないか。

ところで過去のプロレタリア文学運動から延長された労働者万能主義者にも一種の近代主義的偏向がぬきがたく存在する。彼等は外国で検証された戦の成果としての一般原理を「すばらしい金ピカの輸入品」のように扱い、民族的条件への適用のために自ら血のにじむ努力をせず、具体的な発展について内部的な責任を負わない。

その結果、水爆実験への国民の怒りの奔騰もセレナーデ風に処理されてしまうような状態、「死の灰」をアクセサリイに使う傾向が生まれても、これを本質的に強靱なものへみちびく討論が起らない。起らないばかりか最近創造上のこうした傾向に対応して奇妙な近代主義の変型理論が発生しはじめた。それはいわば近代主義に対する「救済」の理論、社会主義リアリズムへの「転化」の理論である。それは両者の間に世界文化の上における本質的差違を認めず、決定的変革を必要としない理論である。すなわち近代主義に対して「社会的現実」を与え、社会主義リアリズムに「技術」を与えようとする御恵み深い折衷主義である。恐るべきことにアラゴンやエリュアールがかつてモダニストであったというような事実がこの例証として引用されたりする。では彼等がすべり台を滑走するようにして抵抗詩人になったという証明をしてくれ給え。近代主義のうそ寒いエゴティズム、破れかぶれのアナーキー、痩せさらばえた抽象観念、謹直を装った官僚的頽廃が社会主義リアリズムとどんな親類だというのか。

西欧モダニズムはすでに現在する近代資本主義社会の危機を自覚し、これを支えようとする小ブルジョアの絶望の表現であるから、その限界性は比較的容易に露われ、一部は大ブルジョアの庇護の下におかれ、一部は革命的勢力へと突入した。だがわが国のそれはまだ存在していない近代を招来しようとする目的それ自身は間違っていないために、その誤まった方法論までも承認させてしまい、労働者農民の地道な近代獲得の戦と背離する点で一層危険なものをふくんでいる。しかも詩壇的には政治概念と文学概念の不当な使用によって混乱と分裂があり、創造面では共通の根本的弱点から最近ますます無原則的な折衷の傾向に流れつつあるとき、これを促進するような似而非理論を唱道することは甚しい錯誤である。

我々がこのような混迷を続けてゆくならば、反封建主義の代りに植民地主義、戦闘的民族主義としての国際連帯主義の代りに孤立的な古典主義を対置した、新しい反動的古典主義が必ず擡頭するであろう。すでにその兆候は見えはじめた。いまや我々はなるべく短い時間で創造理論上の意見の差違を明確にし、創造運動上のより広い一致点を見出して、民族の敵のイデオロギー攻撃を詩の領域でうち砕く準備をしなければならない。

※

我々の内部に根をはっている意識下の近代主義、歴史法則の認識を欠いた自然成長性はどこに由来するか。民族社会の深みに力の源を求めず、ついに自分自身では本来ありえないものを目指して、落ちつくところ反動的古典主義に食い殺されてゆく、この渇望の性質はいったい何物であるか。

私見によれば、この野暮ったい幻想と盲動の日本モダニズムなるものは大地から切離され、大地に帰ることを忘れた農民思想の否定的側面、動揺とアナーキーの農民主義、悪い意味での土百姓根性である。今まで生産する自然と直接関係を結んでいた一人の農民が土地を奪われ、仕事を求めて町に出ると、彼はたちまち不安のとりことなり、人間を疑い、独断をふりまわし、肩を怒らせて叫び廻る。まさにこの事情が日本近代主義発生の基盤である。

貧農のプロレタリア化というわが社会の基本法則によってもたらされた、この現象の淵源は明治維新にあるのだ。いうまでもなく幕末の全土を蔽っていた農民一揆は土地をよこせ、自由を与えよという農民の要求を本質的にふくんで倒幕運動に結合発展する。このときまで我々の社会は一路まっとうな農民革命の方向をもっていたのである。たとえば西郷らによって農民の闘争意欲を外にそらすために流行させられたとも一説にいう『ええじゃないか』踊りなどは、たといそこに謀略的な工作があったとしても、農民の文化への要求がいかに激しく解放されようとしていたかを物語るものである。

しかし明治政府、天皇制権力は見事に農民を裏切った。山林を欺しとられ、封建時代よりも苛酷な税金に〔秩父騒動をはじめ〕農民は蹶起する。〔それは西南戦役まで血みどろの犠牲の上に続いてゆく。〕これを思想的に継承して自由民権運動が拡大する。またしても板垣ら地主層の裏切り……この地点から明治文学が始まるのだ。すなわち農民の武装闘争をふくむ抵抗の一段落から透谷の絶望の嘆きが歌いだす。

わが現代文学最初の荷い手は裏ぎられた農民または小地主であった。絶対主義の圧力を受けて窮乏し、土地を失い、都市に集中し、不満に燃え向上を願いながら、ある者は支配層の下部に編成され、残りは「浮雲」となって流浪した彼等であった。

だからこそ——土地をよこせ、自由を与えよ、約束を果せ——農民の怒りと悲しみ、流亡の民のうめきは主観的にはどうあろうとも避けがたく文学に反映せざるをえなかった。明治ロマンティシズムの根柢はここにある。藤村にせよ、啄木にせよ、このエネルギーをまともに受けていたからこそ鋭く発展しえたのである。貧農、ルンペン・プロレタリアの正当な表現である無政府主義と対応する自然主義もまた一縷の希望も消えはてた明治農民の最後のロマンティークである。封建的な枷をつけたままの官僚、財閥、大地主からとり残された農民の抗議と呪咀の声は多喜二はもとより梶井基次郎、宮沢賢治に至っても背後から追いかけてくる。甘んじて火山の爆発に吹き飛ばされるグスコー・ブドリの舶来くさい倫理の夢にはオッペルを踏みつぶす巨大な象の足もまじっていたのである。これこそ農民の足、怒りにみちた復讐へ、何物もはばからない残酷な闘争への願望である。

ところが歴史を民衆の動向、民衆の闘争の面から基本的にとらえず、支配の構造の変移に重きをおいた従来の文学史は、現代文学をまず小市民文学と規定してここから一切を演繹する。もちろんそれは労働者や農民自身の文学ではない。しかしこの小市民は原始蓄積によって上向きに発展したあげく、革命を通じてその同盟者たる農民に土地を渡した西欧市民とは甚しく異っている。

伊藤整のいわゆる逃亡奴隷は逃げ出したのではなく、追い出されたのである。この点が大切である。石をもて啄木を追った者は「頑迷なる」農民ではなく絶対主義の収奪法則であった。藤村も多喜二も追い出された。白秋だって追い出された。いま東京に集る無数の人々の九分九厘が本質的には故郷を追われた人々である。故郷にしがみついた賢治は夢を作ることしかできなかった。

しかも自分は追われたのでなく、自発的に「逃亡」したのだと思いこんでいる人々によって、文学が作られ文学史が編まれる。それが専ら小ブルジョア的側面の創造あるいは評価に集中し、それに反対する人々ですら小ブルジョア的側面の限界性を指摘し、これを完全否定するのに急であるのは当然である。日本文学がどのような下部の社会的力を反映してきたか、またその自然成長的な無意識性をいかに意識的なものとしてゆくか——これが問題の主要な側面である。明治以来の小市民文学に農民の批判的リアリズムの存在を全く認めようとしないのは明らかに清算主義的偏向である。

※

自由民権運動の中から胎生したキリスト教は最初のモダニズムであった。それは地主の信仰となり、第一次大戦後のモダニズムと同じくたちまちのうちに抵抗の精神を衰弱させ、権力奉仕の道を歩みはじめた。もちろん幾つかの例外はあったにしろ、抵抗の基盤を失ったモダニスムが反動古典主義と裏表の関係をなして堕落してゆくことは自然の成行きである。

それは自らを支えている下部を認識することができなかった。上方へのあこがれはエキゾティシズムに終った。重心は農民にあった。世直し一揆にあった。だから我々は現代詩を帝国大学教授らによって始められた新体詩の孫娘だなどと言うことはできない。現代詩の真の祖先は外山某とかいうビスマルク風の先生ではない。あえていえば、世直し一揆の最高形態、武装農民軍、長州奇兵隊の軍歌「宮さん々々々」と言うべきであろう。売られた娘たちの蹶起を歌う「しののめのストライキ」であろう。

かろうじて現代詩に細々と脈うっていた農民の血液を映す批判的リアリズムが、再び大きな打撃を受けたのは、第一次大戦後のもろもろの近代主義運動によってであった。白樺派、民衆詩派などが自らの理想に崩れ去ったあとを、「聖者」賢治の幻想にまで追いつめていった社会的暴力は現代詩の内部に積極的には反動古典主義を、消極的には近代主義を作りあげたのである。前者は農民の支配者の歌であり、後者は盲目な農民の歌であった。

いま進歩の側に立つ詩人達がこの近代主義の中から多く生まれたからといって、このような農民的エネルギーからの意識的背反、自ら農民の子でありながらそれから逃れようとしてかえって農民主義の柵にとらえられる自縄自縛を許すべきではない。革命的立場に立つ詩人がこの点に関してきびしい反省を明らかにしていないことは重大な責任回避である。外国文学の創造理論を一般的なままでわが民族社会におしつけることは文学植民地化の条件をいよいよ整えてゆく役割しかない。

いかなる流派であろうとも、民族社会の内部を規定している力の法則を無視することは堕落の道である。だからこそ明治維新以来一日もやまず続いているわが社会の基本法則——農民が労働者へ、兵士へ、娼婦へと転落する過程と労働者が再び故郷の農民へと結びつく過程を把握し表現することは現代詩のテエマの原型である。大地から追われた者のいらだたしい排他的情熱、無原則な盲動主義を自然と労働の握手による深い生命感、変化自在の豊かな感情へ回癒させることは現代詩人の最大の任務である。

もし労働者を農民の正統な息子として見ず——故郷の大地につながるものとして見ないならば——単に搾取の犠牲、反抗の組織体としてのみ見るならば、労農の結合、同盟も客観的に存在する両者の血縁のうえに立つことができず、渇いた叫びのくりかえしに終るであろう。民衆は理念のなかには生きていない。彼等は具体的な歴史のなかに生きている。これを認識することを我々は「遺産の継承」と呼ぶのだ。短歌や俳句の隆盛の秘密はここにある。それは何よりもまずあからさまに農民的文芸なのだ。

※

現代詩の問題は根源的には世直し一揆から出直すことにある。そこではじめて我々の詩の「空しさ」は取除かれ、「大空」が見えてくるであろう。再び祖国の大地が黄色い土ぼこりに蔽われ、峯々に男性合唱が起らねばならない。

だが今度は野心にみちた貴族や足軽に手綱を渡してはならない。大地を追われ、家族から離され、工場の中でむごい規律に鞭うたれて、ようやくその規律を自らの統一と団結の武器に奪いとった千万の農民の子たちは彼等の母達の鎖を解き放つために起ち上ろうとしている。それによって彼等もまた解放を保証されるのだ。『農民階級の子供達が労働者階級の母達を救いだす』――これこそ日本現代詩が近代詩となるための主題である。

だが農民――感性の源――は決して容易にその全身を露わにはしない。その柔軟な情念は幾千年の束縛によってうち固められた荒野の下に潜って流れる。それはひねくれ、対立し、屈従し、小利にとびつき、深く沈黙する属性の深部で燃えている。このエネルギーを直接汲みとることは至難の事業である。

どこで我々は彼等と結びついたらよいのか。いつになったら我々は彼等と同質の存在であることを立証しえたことになるのか。どうしたら我々の詩は三人の処女の魂を救うことができるか。

現代的課題を現代的態度で……という現代詩の規定はすでにその中に実践の裏付けを間髪いれず要求している。とすれば我々は現代の全社会生活をつらぬいている「近代を闘いとれ」という声に自己を投入せずにはおれない。民衆の魂の発火点、敵と味方が擦りあう火打石の前面に立たずにはおれない。この地上で幾十世紀も我々の掌からすべり落ちてきた愛を確乎としてわしづかみにするための義軍に加わらずにはおれない。このための日常の無数の小さな戦における「規律」こそ、愛の証であろう。規律こそ、我々の愛の内在を行為の場で確認させ、一つの破りがたい力となって見もしらぬ人々を結びつける創造者であろう。おお、詩人とはかかる掟の意味を解く者である。

（一九五五年三月「詩学」）

農村と詩

此の中に真意有り
弁ぜんと欲して已《すで》に言《ことば》を忘る
陶　淵　明

Y君。星条旗のしたの弥生式の都、あの冷ややかなさざ波にあふれる池のほとりではじめて会った僕たちが老子とヴァレリイについて語ったとき、僕は君の呪縛によって〈詩人〉にされたのだが、いまようやく痛みと共にその麻酔が消えていくのを覚える。だから僕がこの奇妙な文章の発端をそこに置くのを許してもらいたい。僕にいわせればあの日こそ二人の田舎者の出会いというにふさわしい日だった。僕たちはとりとめもなくしゃべり散らした。相手に感心し、自分のことを隠しながら……もしヴァレリイが老子を正確に読むことができたなら——僕はこんなことを言ったりした——「テスト氏」を書くことは放棄したにちがいない。

繰返すが、飢えて寒い日暮れの公園はさざなみにあふれていた。僕たちは決して一致することはなかった。ひそかに考える。あのとき僕たちの友情を成立たせたものは敵意ではなかったろうか。その敵意がどんなに愚鈍で善良な性質のものか、他人には説明しかねる節もあるけれど。僕が言いたいのはこのような種類の敵意にしてはじめて乾物のように長もちする友情がありうるということだ。こう言えばよいのだ。僕たちはまるで親しい百姓のように結ばれた、と。

ひどく取りあわせのおかしな楽器をめいめい抱きながら僕たちを結んだものは、日本の文明がつくりだした繊細と剛毅に関して僕たちが相似た方向感覚を持っているという発見であった。とりわけ都会と地方の落差の観念に向って僕たちは二匹の鮎だった。魂の地方《プロヴアンス》と虚妄の首都《メトロポリス》……これは僕たちの友情の商標となっている共用語であるが、僕が共産党員となったのもこのような地方民の剛毅さへの尊敬と異質のものではない。

ご存じのように僕は農民運動の工作者でもなければ、農業問題の研究家でもない。農業の経験もなければ、農民の出身とすらもいえない。工場の炉からカーバイドの粉がふりそそぐ安山岩の町の小商人にすぎない。その僕が究極のところ問題は農民にあると考えるようになったのはなぜだろうか。それはやはり僕のなかに一種の農民が住んでいるだけでなく、その発見が大げさにいえば現代日本文明の急所を照らすことができそうに思えたからである。僕の母系は下級の武士であり、父系は村役人にひとしい小地主だ。そこで下級武士の突風のような激情と村役人の冷酷は僕の骨にしみ、しかも知らず知らず農民の気分を影絵として植えつけられているところがある。

波乱と冒険をきらって平安を求めるあまりにやむことのなかった僕の反抗は日本の民衆が執念のごとく罪業のごとく背負ってきたまぼろしに対応するものと考える。だからこれから述べようとするのはひとりの孤立した夷狄の眼が発見した文明の土台の潜函工法であり、ひとりの非農民の農民発見の物語である。

※

君はおぼえているだろうか。僕の住んでいた電車の響きにかたむくイーストサイドの軒下を。あの馬糞と木屑にくるまった一群の屋根、特殊部落の少年たちを。そのひとりの名を借りて僕は、君がほとんど自分のノートのように扱っていた夕刊紙へ小さな文章をのせた。その切抜きもとうになくしてしまったけれど、〈部落民〉という言葉はいまだに僕の胸に感情の暴風を起す。彼等ははこべ咲く浜辺の都で外国軍人から職場を追われ、孤立し、たおれていた僕に輸血をし、薪炭から食物までを運んでくれたばかりでなく、優しさというものの極致を教えてくれた。毎日一椀の牛血をすすらせ、犬の肉で快活な冬の宴をひらいた。僕を封じこめていた党内闘争の凄惨な竜巻きで氷った胸を溶かし、その下に僕の故郷が眠っていることを告げた。圧政と貧苦をなめされてきた彼等は複雑な血縁と異様な熱狂をもち、時にはそれが無原則な放逸とつながってもいた。しかしひとたび誰かが地獄に堕ちたことを知るといっせいに無数の手がさしのべられるのだった。この世へのいきどおろしい怒声にみちた彼等がこのように一種の安定をもち、他方僕は常に焦慮に駆りたてられるのはどういうわけか。彼等から仲間としての待遇を受け、「われは部落の民なり」とつぶやきながら、僕はこのえたいの知れぬ不安に悩まされるのだった。——都会風の立身出世主義にはどうやら僕は完全に手を切っていた。大学の研究室と軍隊の営倉はどちらも僕には同じ臭いがした。僕は戦争末期の断末魔の東京に見た、街路にほうり出されていたスティーム設備の曲りくねった鋳物を思い出す。あれは日本近代主義の残骸だったのだ。僕は東京で笑いを嚙みしめずにすむ日とてなかった。軍隊から帰る貨車の上で、僕は物質と人間との関係を再建しなければならないと考えた。しかし僕がみぞれの降りしきる朝、ある新聞社の石段をのぼっていったとき、自分が何物かを売渡したことを自覚した。僕の道はそこで尽きていた——僕たちの口調を使えば、そもそも近代プロレタリアートたらんとする僕の努力からして遂に「家出人」の思想でしかなかったのだ。それを教えたのが部落民の熱いなにかだった。学生と軍隊から放たれた自我の出発、それに僕は失敗したのだ。僕は「出発」という詩を書こうとして、どうしても完成できなかった理由を思い知った。このままではルンペンの反抗におちるほかはない。そう思うと僕の瞼には自分の生れた町が映った。父の代に移住してきて中学校以来離れがちだった、なじみの薄い故郷。しかしそのほかに自分の故郷とてはなかった。そこへ帰るよりほかなかった。帰らねばならぬ、誰ひとり歓迎する者のない故郷へ。僅かばかりの荷物を引きずって送ってくれたのは、獄中で生れたという部落の少年だった。

※

故郷とはいったい何だろう。僕たちの世代にはじめて満州生れや朝鮮育ちの日本人が大量に登場するのだが、僕は彼等がいまだに故郷という言葉にきょとんとした表情を浮べることを考える。おそろしいことに彼等、植民地支配者の息子たちには故郷の欠如が問題にさえもならないのだ。それは彼等の父たちの根本思想とつながっている〈精神の満州国〉なのだ。故郷とはいうまでもなく自分の存在の歴史を幾世代の因果の微分方程式として見ることのできる地点であろう。すなわちこの世の革新には故郷……自分を構成する古く遠い因果律とそれを動かすための挺子の支点……が必要である。故郷を敵とする者は故郷と正対しなければならぬ。

ところが僕は都会を嘲笑しつつそれから革命の手段を奪おうとする軽業を演じた。たとえ徒手空拳であろうとも僕が自然発生した岩石に向いあって、その目標から眼を離さずに（いわば使命の呼ぶ声にしたがって）出郷したのではなかった。僕は故郷を見きわめることなしに野良犬のようにさまよい出た。このことは僕の詩に反映していた。僕の意識の底には故郷があり、意識の表には革命があり、それは乱れた像となって重なった。故郷と革命……この二つのイメエジを寸分のゆるぎもなく嚙みあわせることが当面の仕事となった。一九五〇年の僕の作品に「故郷」と「革命」の小品があるのはまずそんな理由からだ。しかし党内闘争の熱風は僕の故郷での活動を完封した。切手や紙を惜しみながら君をはじめ幾人かの友と部落の民に便りをすることのほかになす術もなかった。故郷は僕の病床のまわりにありながら、また無限に遠かった。

Y君。僕はまたも出郷した。——病める肉体を鎮めるために。いや、戦おうと欲して戦うことのできない狂気を鎮めるために。僕の詩がはじめて君の手で僕にはますます無縁の東京に紹介されたとき、僕は君を笑うまえに自分を笑った。

※

僕に残されていたのはあと一回きりの賭博だった。それは別れるとき老いた部落民が僕を抱くようにしたあの愛《エロス》の意味、淡いゆうひの色をした優しさの起源が何であるか。それは遂に僕には獲得できないものであるかどうかを解くことだった。（その頃のことだ、自殺という演劇行為にも今まで予期しなかったなまぐさい知覚と芳香があると気づいたのは。もちろん実体のない恐怖を前もって味わう能力ぐらい他愛のないものはないが。）

僕は昆虫の本能で山脈の方を望んだ。入院費のあてもなしに火山の麓の郭公と狐と合歓の花に祝福された病院へ入った。そこで――僕はほとんど言葉につまろうとするのだが――さびしい乳色のもやに溶けている農民世界を発見した。僕と彼等は体温計や薬の包紙に対する態度からちがっていた。しかも驚いたことに僕の感覚の急所には完全な理解を示すのだった。彼等は僕が労働の不能者であることを見抜き、さまざまのコンプレックスに笑いを浴びせ、僕に残っている能力を自分たちのために使えと要求した。ローマ字を教えたり、百人一首を解説したりすることが僕に与えられた。（罐詰のレッテルくらいは読めるようになりたいと彼等は言った。）藁束や玉蜀黍の葉で作られているような貧しい娘たちと毒舌を浴びせかけあい、感傷に沈み、彼等のほかに自分とこの世を結びつけている力はすべて断たれたと考えることはなんという快楽であったろう。彼等こそ僕を民衆の最も平凡なひとりとして扱った最初の民衆だった。君が僕を詩人にしたように、彼等は僕を民衆にした。

もとより僕は恐れない。アマゾン河の何とかいう魚のように僕の言葉を餌食にしたがる者たちの攻撃を、僕の見たものが幻覚であるかどうか、生活らしい生活を持たない人間には実験の機会すらないのだ。生活とは一本の牛乳を分けて飲む三人の男がいるということだ。感傷であろうが何であろうが、その底にある感覚器官の震動を否定することはできまい。その震動の客観的意味を探らずに詩はないのだ。

優しさに帰ろう。部落民と農民とに共通するこの破格の寛容と平静、それは幾世代をくぐりぬけてきた前プロレタリアートの感情であることを僕は理解した。この素焼の肌が放つ光を日本の労働者の前衛が充分に受けついでいないばかりか、むしろそれから背反しようとする傾向が強いというのが僕の発見だった。変革の中心であればなおさらのこと、労働者階級の意識高い部隊が失っているもの、奪われたもの、人間性の欠損の部分を見落すべきではない……

君はこのことに同意すると信じる――僕の髪、僕の呼吸のなかにいやしい農奴の影を読むことができない者は僕をまるで理解していないのだ。学生として、兵士として、新聞記者として出郷を重ねながらその度に僕をつまずかせ、幾つかの原理で打撃を与え、これまでと少しずつちがった秩序の方へ押してくる潮を支配している月はこの〈農奴の魂〉ではなかったか。僕はまた失敗したのではないか。放逐された革命党員として、僕はあくまで現場にふみとどまるべきではなかったか。戦う足場がもはやないと判断して故郷の町を棄てたのは、またあの焦慮によるものではなかったか。それはやはり僕が自分を民衆から区別しようとする怪しげな英雄主義に侵された結果ではないか。……瀕死の農婦のために血止め薬になるという濶葉樹を求めて谷のあちこちをさまよいながら、僕は自分を引きずっている太い綱を感じた。君のことをちらと思いうかべた。

※

民衆が分ったなどというつもりはさらにないが、性格の根底において僕が小市民であるよりもむしろ農民であるという認識は貴重だった。僕の誤算はそこから生れていたのだ。今度こそ僕が民衆に向って投げかえす順番だ。再度、いや三度び僕はふりだしにもどることを決意せねばならなかった。巨大な谷をすべり落ちて、汽車はまたも僕をほこりくさい二階へ置いた。

町はするどく変っていた。僕が帰りついたのとちょうど反対の方角へ。戦後数十名の入党者を数えた共産党細胞が今は数名を残すにすぎない、それはどこの農村地帯でも見られる光景だった。その差はどうなったかといえば、脱党したまま故郷に残っているのはわずかで、あとはほとんど都会へ出かけてゆき、そこで党と離れてしまっていた。党の誤った方針ということもあろう。しかしそれよりも党の政治的誤りをうむ原因となった、それ以前の生活の身構えに大きな問題があった。共産党に例をとったのは単に地味な土着性というものだけでもいかに意識のとどきにくい部分であるかを言いたかったのである。それだけではない。農民のプロレタリア化という別段めずらしくもない法則に自分自身がふくまれて翻弄されていることを認めたくない気持は意外に強い。そこで故郷にとどまる者にも去った者にも自分をなかなか受け入れてくれない故郷に唾をはき、足蹴にしてやりたい欲望が渦まいている。かりにそれを認めても、自分の位置をたしかめつつ、故郷の変革へはたらきかける足場をつくることは一層困難である。こういった事情から、故郷を売った者も売らない者も夢みているのは「或る偶然」をつかむことによってブルジョア化したいという熱望なのだ。

Y君。切れかかった電球のように僕らが毎日さまよっている奈落を君に見せたいくらいだ。もし人々が沈むなら自分もあまんじて沈まねばならない。それを覚悟することよりほかに救いはない。「東京へゆくな」と僕が詩で呼びかけたのは政治スローガンよりももっとナマな叫びなのだ。なぜなら出発の前にすでに敗北している道よりも百人に一人が真の生活を発見するかもしれない道へさそうことが必要だから。僕が君に誇ることができるのは唯一つ、僕が君よりも人々にとって厄介な妨害者であるという事実だ。僕は戦った。大地から逃亡する民衆の道に立ちふさがった。石を投げた。「君たちは逃亡しているのではない。追放されているのだ」――それよりほかに僕の知っている恩返しの方法はなかったから。

※

僕の思考は次のように組立てられた。

(a) 日本の民衆の大部分は農民の出身である。だから日本の文明を蔽っているのは農民の感情である。農民は労働者階級をはじめすべての勤労階級に対して母親としての地位を主張することができる。

(b) 農民の感情は土地に結びついた生産にもとづいている。大地こそ人間感情の源泉であり、人間は大地の鏡にならなければならない。

(c) 進歩には土台となるべき根拠地が必要である。労働者は前プロレタリアートと、都会は地方と、世界は故郷とかたく結合しなければならぬ。

(d) しかるに労働者階級をふくめて日本の文明にはこの前プロレタリアート、地方、故郷から自己を疎外しようという欲求が強くはたらいている。

(e) それは日本の農民が上向きに発展して個人を確立してゆく道がとざされた結果、主観的に個人確立をめざすためであり、客観的なプロレタリア化の傾向に対して百八十度の錯覚をうんでいる。

(f) 日本の近代主義はすでに存在する近代の危機を救おうというのでなく、完全な形ではまだ存在しない近代を個人の手中に収めようとする願望である。

(g) これは大地から追い出された農民が客観条件に逆らって新しい心象風景にすがろうとする盲動であり、倒錯された農民主義である。

(h) 農民主義はその盲動性を内部にふくむ自然主義となってあらわれるのが常態である。つまり芸術上の自然主義と近代主義の間は裏表の関係にすぎない。

(i) 前プロレタリアートの盲動性を克服するにはプロレタリアートの組織性によるほかはない。だがその場合あくまで前者の発展的契機を継承しなければならぬ。その契機とは大地に結びついた深さに正比例する感性の領域である。

(j) 日本の労働者階級は労農の結合を理念の面からだけ強調する誤りを犯している。それは労働者の内部に近代主義が存在するためである。

(k) 労働者の組織力により農民の正常な感性を土台として国民の感覚を再建し、現代を蔽っているゆがめられた農民的盲動をうち破らねばならぬ。

※

君も知っての通り、僕は脇腹に流れる血潮に手をあててみなければキリストの復活を信じることができない種類の人間だ。僕が求めていたのは実験だった。詩を作るよりも事実を作ることを好む人間でなくて、詩の運動などを考える馬鹿馬鹿しさは僕も君も知りつくしている。そこで僕は二三の組合ニュースめいた事実を語ろう。

——苦しい生活のため買えなかった子供らがかねがね食べたいといっていた西瓜を買ってきて食べさせました。「水に冷やしてからがうまい」という親。「冷やさんでも今すぐ食べたい」という子供。なかなか大変なさわぎです。一口ガブリと食いついたとき思わず涙がほほを伝わりました。組合の味です。まさしく組合の味でした。八等分に切られた一きれをまた小さく切る子、「種子はとっとけ。来年どま良う作っ出して食わすっで」という父、「あんまり皮んところまで食うもんじゃなか。見苦しか」とたしなめる妻。今までとかくダラダラになりがちだった療養生活。パチンコに行ったことなどチクリチクリと針でさし、大いに反省致しました。

（新日本窒素労働組合機関紙五五年九月十日号より）

これは僕のいる町の労働組合が一青年部員の提案をとりあげ、賞与のうちから任意の金額をさき、長期療養で賞与をもらえない組合員に送った、その礼状の一部である。僕はこの青年部員も知っているし文中の子供たちとも仲よしなのだが、「種子はしまっておけ。来年くらいはうまく作って食べさせてやるから」という兼業農家の老父の発言に労働者の組織が人間的な感情を吸いあげたとき、農民の創造意欲を触発してゆく過程が見えることを指摘したいのだ。

僕はまたあの近江絹糸の長い争議中に起った挿話をアカハタが報じていたのを思い出す。記憶をたどって書くが、二人の女工が近郊へ宣伝隊として派遣された。彼女らが歩いてゆくと、田植の最中に出会った。それを見ると彼女らはすぐはだしになって手伝った。日暮れになり、彼女らが帰ろうとすると農民が聞いた。「お前さんたちはいったい何だね。」宣伝隊であると名乗ると、それじゃどうして宣伝しなかったのかとたずねた。彼女らは言った。「私たち二人とも百姓の子です。田植が百姓にとってどんなものかよく知っています。だからあなた方を見ると自然に靴を脱いでしまったのです。」農民はあとで闘争本部を訪れ、名前を明さずに立ち去った彼女らとその仲間へいくばくかの米を贈った――Y君。曲りなりに新聞屋の経験がある僕はいわゆる美談というものに敏感な鼻を持っているつもりだ。しかしこれは宣伝の本質そのもの、すなわち行動で書かれた詩ではなかろうか。ストライキと田植……労働の二つの種類の頂点で人間の感度の鋭敏な場所にふれたこの行為は、僕にはソナタのはげしい一節を聴く思いがする。物理学の教科書みたいな言方だが、労働者の組織されたエネルギーが農民の情感の中へ入りこむとき、新しい感性の質は爆発的に高まる。労農の同盟は当面の利害から始まるのでなく、両者に共通する感覚の確認から始まるのだ。その一致点は生産に対する農民の感覚の延長線上にある。

※

僕に強く刻みつけられた記憶がある。僕の町の最初の長期ストライキ……職員と工員の身分差を撤廃せよという半世紀の間くすぶっていた不満が燃えあがったとき、周辺の農民はなんの要請もなしに連日隊列を組んで労組本部へ甘薯の山を贈った。三千の労働者の大部分は地元農民の息子であり、兄弟であり、いとこだから、彼等はただ血族としての親しさをそのまま集団的に表わしたにすぎない。それはいわば一種の火事見舞だった。だがこれまで日本の争議でこのように淡々として絶対の農民の支持を受けたものがあったろうか。農民特有のあのはにかんだ笑いを浮べながら（それは君が遠くから合図を送るときの笑いだ）、赤旗を荷車に立て、なんらの抵抗感もないなごやかさで続々と通り過ぎる列を眺めたとき、僕はほとんど呆然とした。八路軍に対する農民のふるまいを神話もどきに聞いていた鈍感さを改めて恥じた。それは今、僕の眼前を通っているではないか。この「無償の行為」を組立てているものは何か。へんてつもない町並みを帯のように流れている光は山麓の病院で僕を再生させた微笑と同質のものであろうか。どれだけ考えてみてもそれは全くあたりまえのことであり、かつ驚異にみちたものだった。革命をいささかでも遠い未来の異常事と考える観念は僕の頭蓋のなかで音を立てて崩れおちた。

不思議がなかったわけではない。降ってわいたように一夜のうちに補給の隊列を整えてしまう農民の行動性のめざましさはただ階級の母としての観念だけでは生まれてこない。この感覚を組織する力はどこにあったか。労働者が臨時に作った居住組織か。それだけではない。農繁期の収穫を労働者が助けたことか。それだけではない。農民と労働者は一つの家系に属しているのだという認識が工場から部落へ電撃のように走っていったとき、古い部落の仕組みが動いたところに鍵があった。

誰でも知っている。戦後の民主運動の潮をはね返し、とび散らせてきたものはただひとつ「部落」であったということを。——僕が新聞社の争議で（占領軍の干渉があったとはいえ）最後の瞬間に敗れたのは、輪転機や発送の労働者が郊外の特定の部落から集中していたことを知らず、部落における切崩しに会ったためだった——それはふつう考えられているように単に古い伝統を守っているだけではない。農事からかまどの改善に至るまで自己の中心部を侵されないかぎり多くのもの珍らしさをとり入れながら、或る一点すなわち部落の質的変化を来すような一点では狂暴なまでに自己を守ってきた。その核心にとりつくことに失敗するならば、すべてはドン・キホーテの夢想と化すという点に田舎の生活のむつかしさがある。

だが僕はもう疑わなかった。或る条件のもとでは、古い部落の体制がほとんどそのままの形で前進の姿勢をとることができる。資本の城〈工場〉と制度の牢獄〈部落〉が波うつ情感によって結ばれるとき、それは何ものもとどめえない人海と化す。僕はこの眼で見たのだ。わずか十日あまりの経験であったとはいえ、部落の保守主義者すら一言の批判をも加え得ない決定的な行動で、部落はこぞって労働者のたたかいを支持した。部落は始めて故郷の労働者階級のために洞窟の扉をひらいた。「開けゴマ」とさけんだのは理念ではなく、情感であった。いや理念と情感の黄金比で構成された甘美な力だった。

※

もうひとつ奇妙な挿話を許してくれたまえ。或る夏のこと、僕は脱走した四人の娼婦たちの隠れ家にいた。そこで彼女らのお守りをしながら、革新派の市議や労組幹部とひそかに引きあわせて後援を頼むという寸法だ。だが人目を忍んでいるはずの彼女らは下着一枚でレコードをかけるやらビールを飲むやら、明日知れぬ運命を相手に小宴を張っているという風情だ。けれども僕が眼をみはったのは、いつもなら蚤がはねたことにも難くせをつけかねない男たちまで彼女たちのやわらかい磁気のようなものにつつまれるとたちまち応援を約束してしまうことだった。正直にいって、これが女郎の手管というものかとさえ僕は疑った。しかし、そうではなかった。「性」と民主主義の合流する地点を僕がよく究めていないところから起る錯覚だった。彼女らはただ「お任せします」と言ったぎりだった。彼女らはまず自己を四人の集団に筏のように結びつけ、さらに動揺をへながら自分たちと同質の階級へ自分たちの運命を托した。その信頼が絶対ぎりぎりのものであることに男たちは打たれたのだ。それを可能にしたのは精神の自由のほかにすべてを売りつくしたという意識からくる純粋さであったろう。彼女らには路上ですれちがう娘ほどの媚態もなかった。そしていかにもエロスにみちていた。彼女らには二つの種類の性愛がくっきりと区別されているようにみえた。一つは特定の男に占有される形の愛（彼女らのほとんどに愛人があった）、もう一つは自分たちの集団内部のすべての男たちに対する支持と信頼をあらわす無私の微笑。後者は性を捨象した〈なかま愛〉だけでなく、明らかに異性への陰影を帯びたものだった。それは男たちのいつもは閉ざされた領域を開かせ、そこを洗い清めるように流された。この貧農の娘たちにはまたしてもあの火山の麓の病める娘たちと同じ古い優しさがあった。それよりも一層の明確さで階級への愛と個々の性愛を結ぶきずなを示していた。僕は思わず「何だ、愛とはこんなものだったのか」と心にさけんだ。忽然と――遠い昔の共同体の幻し――を見た。

資本の制度下では欺瞞にすぎない一夫一婦制を真のそれへみちびくこと、これがエンゲルスの与えた命題である。これまで僕はそれを単なる占有の完成と見ていた。それならば凡百の小説や恋愛教科書にみられる十九世紀的恋愛論とあまり隔たるところはない。なぜならそれは一人の異性と他のすべての異性を区別する基準があいまいだからである。しかも結婚もしくは恋愛の相手と一般の異性を同一の平面で見ることは不可能になってしまう。だが真の占有の完成はまた占有の止揚でなければならぬ。僕は知った。占有の観念を離れた性愛がありうるし、それは集団の協同と信頼をよびさます。個々の恋愛はその集中的表現でしかないということを。もとより僕がそのような愛をわがものにしたわけではない。性愛に関して僕はゆがんだ経験しかもたぬ野蛮人だ。しかし僕は見ることができたのだ。探険隊の望遠鏡の視野にゆれている島影を。来るべき共同における愛の有機的構造を。

Y君。君はダ・ヴィンチの「巌の聖母」を考えてくれてもよい。洞窟の内側にたたえられた冷ややかな水、死よりも永遠な山々、それらに帰属し、対抗して彼女は坐っている。彼女はファウストのなかの「母たち」のひとりなのだ。だが僕に愛の原型を示したのは形而上的観念ではなく、特殊部落民であり、貧農であり、娼婦たちであり、村の法則だった。彼等は一様に指している。何を。共同体《コミユニテイ》を。はるか遠い記憶に沈んでいる村を。原詩《ウルポエジイ》を。

※

谷神死せず。是を玄牝と謂ふ。玄牝の門。是を天地の根と謂ふ。綿綿として存するがごとし。之を用ひて勤めず。

（『老子』谷神不死章）

単なる地方でも故郷でも大地でもなく、すなわち時と場所のユークリッド的交叉ではなく、淵のようにたたえられたこの世の矛盾の渦の総体を一点に引きしぼったときにあらわれる創造的危機の核、新しい価値形成のるつぼが存在する。凝結する力の終点であり、新しい諸力誕生の起点である陰湿な暗黒が存在する。レーニンのいわゆる支配者にとって最も弱い特殊の環であると同時に、声なき民の最後のとりでであり、世界史を動かしてゆく静寂な領域が存在する。それは今東洋の名もしれぬ村の土壁にあるのではないか。僕のまわりにあるぶざまな歎きとよろこび、僕を引きずってきた民衆の陰影の底にひそんでいるのではないか。――僕のいわゆる〈原点〉という観念が声をあげようとした。

僕は近代主義に向って斧をふりかざしている人間だときめている人がある。だがそれは僕がふみ越えた石にすぎない。正直なところ僕は日本の近代主義などというものに戦慄も恐怖も感じはしない。僕がこぶしを握るのは東洋の村の思想だ。凝然たる孤独のなかで日本の民衆の魂をつかんだ道元だ、雪舟だ、芭蕉だ、武蔵だ。「爾今の山水は古仏の道現成なり」と言い、「その貫通するものは一なり」と言い、「世々の道に背かず」と言った反逆の思想家たちの逆説を読むがいい。彼等こそいちはやく反抗の果てにあるものを読みとっていたのだ。究極のところこの世の運動のすべてが回帰してゆき、そこからしか変革のエネルギーが倒錯なしに生れてはこない一点をみつめていたのだ。

そしていまや僕たちは彼等があかね草の根からしぼりとった色素を化学方程式によって合成しなければならぬ。そのことで彼等の愛の盲目性を打倒しなければならぬ。疑ってならないのはどんな種類の開拓者も鍬を用いようがブルトーザーを使おうが泥にまみれずにすむはずはないということだ。

※

無名民衆の優しさ、前プロレタリアートの感情、……それらを理念として表現すれば東洋風のアナルコ・サンジカリズムとでも呼べばよいと思う。これは封建社会における多くの暴動の底に、すべての民衆的経世家の胸奥に植えつけられていた苦い情熱のイデオロギーである。中江兆民といい幸徳秋水といい片山潜といい河上肇といい岡倉天心といい内村鑑三といい、明治以来の血を流すことを惜しまなかった独自の思想家たちもまたこの源流への指向を失っていなかった。何物の革新であろうとそのもの固有の前期的な進歩の契機を確かめずに前進することはできない。たとえば日本のコミュニズムは日本それ自体の土壌に発生した前コミュニズムの内在を明らかにすることなしには一歩も前進することはできない。それはもっとも初歩的な弁証法の原理である。しかるに日本の進歩陣営ほど自己の前身を明らかにすることを恐れているものはない。彼等は僕ほど深く誤らなかったせいででもあるのか。

日本の民衆が執念のごとく罪業のごとく背負っているまぼろしと盲動の本体は何か。法三章の自治、平和の桃源境、安息の浄土から八紘一宇、大東亜共栄圏、王道楽土へと旋回してゆく敗亡の歴史はその源流に帰ることによってしか快癒しないのだ。再び老子を引用すれば、それは「隣国相望み、鶏犬相聞ゆ。民老死に至るまで相往来せず」と歌われた〈小国寡民〉の世界である。マルクスによれば、それは最高統一体——上級の共同体（やがては強大な専制政府）の下部を構成する「小さな諸共同体」である。この下級の共同体こそ支配者の手でしだいに擬制化せしめられ、自由を奪われ、変質せしめられながらも、専制に対する有効な抵抗の土台となり、アジアの諸芸術発生の震源地ともなった。氏族共同体はもとより村落共同体においてもその存立の軸となっていた横の連帯はしだいに「義は君臣にして情は父子」の縦の支配にすりかえられていったが、平安末期から太閤検地に至る古代権力の衰弱と封建体制の未完成の間に、すなわち村落共同体の自由がある程度活発に保たれていた時期に日本のほとんどすべての伝統芸術が独自の発展をとげたことは強調してよいだろう。資本による古い共同体の破壊の程度はアジアと西欧では甚しく異っているばかりでなく、それぞれの共同体の質の差もきわめて大きい。「個々の諸家長が相互に遠く離れて森のうちに居住していたゲルマン人……（マルクス）」の「諸成員の会合の形態でのみ存在する」共同体と、「河川沼沢の管理」を軸にかたく結びつけられ、全体として主権者にれい属していたアジアの下級共同体とではすでに個人の意義そのものがまるでちがう。そこにアジアの芸術の特質があると僕は考えているのだが、もうそのことにはふれまい。ただ僕はいたずらに個人の自立性のとぼしさを歎く前に、共同体の連帯感をほり起すことの方がよほど「自立的な」考え方であるとだけ言っておこう。

僕は歴史学者でもなければ社会学者でもないが、すくなくとも感性の領域で共同体の破片と記憶は農民はむろんのこと大部分の労働者にも今なお生きていると主張する。日本文明の一番下の階段に生きていると主張する。そしてそれを破壊することが真の反封建闘争でも何でもなくて、むしろこの破片と記憶をめざめさせて新しい共同体の基礎にしなければならないと主張する。このような見地に立たなければ農村で生活し、農村で詩を書くことを無意味にしてしまう或る一点が存在すると主張する。

Y君。僕はもうこの乱雑な手紙を終えなければならない。そしてこの便りは君と共に、僕の知らない幾つかの農村の詩サークルへささげられているのだ。僕は目下のいわゆる農民詩を論評したり、農村生活者の詩作の手引きをのべたりするつもりはなかった。それは非農民たる僕に適した仕事ではない。だがここに略述したひとりの〈詩人〉の哀れな自我の道行きは敬愛する地方の詩人たちにいくらかの詩以前の問題を提起することがあるかもしれない。僕が自分のなかに詩を自覚した最初の二行……

おれは村を知り　道を知り
灰色の時を知った

ここへまた僕は帰ってきたのだ。では十余年の歳月は僕にとって何であったか。

（一九五七年『講座現代詩』Ⅲ　飯塚書店）

農村の中の近代

いったい東アジアにおける「家」とは何であろうか。私には家という字が豚の上に蔽いかぶさった屋根のようにみえるから、たぶんそれは家畜小舎のことだろうと思っている。貧農は大風で母屋が壊れてもなかなか直さないが、納屋となると修理を急ぐものである。牛小舎を修理するために牛を売るという不条理をおかすぐらい平気だ。牛はいつの日か買えるかもしれないが、そのとき小舎がなかったら何としよう。まず容器を次に中身を、そのために現在の中身を売りとばせ。これが日本の家の幹となる論理である。

村議選挙の開票の翌朝、私は落選した候補の家々をのぞき歩いたことがある。喪に服しているような前庭に早くも牛が引きだされていた。生垣のすみっこですすりなきが聞えた。主婦や娘が別れのかいばを整えているのだった。どの家でも運動費のかたに牛がなっているのだ。もうすぐ博労が鼻面をとって去る。あるじはさしずめ布団をかぶって一代の不覚を歎いているのであろう。

そして彼女らの愛撫の手つきと涙はなんと素直で恨みがましさのないことか。あるじの冒険は失敗した。家の重要な内容は流失してゆく。代れるものなら、彼女らはすぐにでも牛を残して自分を売ったであろう。それができない以上、誰を責めることができよう。家とは建物であり、その内容はいずれ雨や風や偶然が奪い去ってゆくものだ。家の輪廓さえ残っているならば、いつか幸運の入る可能性はある。家とは責めるものではなく、許すものなのだ。

※

この気分は筑豊炭田の坑夫たちに、こんな風に伝わっている。父親がやめたあとに息子を使ってもらう「いれかえ」採用がきまったとき、「息子だけはよそで出世させようと思って高校まで出しましたが、やはりとうとう炭坑太郎にしてしまいましたわい。」危険でみじめな労働に一度も臆病風に吹かれたことのない坑夫なんてありはしない。誰でも自分の弱さと暗さについて負い目を持っている。それが坑夫の荒っぽい怒りやすさの原因だ。息子が二代目の坑夫になるということは、父親のそんな負い目までそっくり相続してくれることだ。父親はそれを口外しない。シヨウチュウをなめながら、黙って複雑な喜びを飲むだけだ。家は牛を必要とする。禍いをひきうけ、あるじの身代りに立つことのできる犠牲を、それが発見されたとき、家は中身を持つのである。

家の主人は人間ではなく家畜である。それは災禍を救う犠牲であるがゆえに神である。坑夫は石炭を掘る牛だから長屋であぐらをかく権利がある。肺病にかかった農婦は牛でなくなるがゆえに家を追われる。彼等は決して人間だから大切にされるのではない。その反対だ。何よりの証拠に、私の故郷である南九州ではひとつ大雨が降れば必らず死人が出るのだが、死んだ人間の数より死んだ牛馬の数が多かった例は決してない。いや、血統を重んじることだって家畜に比べれば、人間など物の数にも入らないであろう。牛馬の神として尊信を集めている阿蘇のある社では、うまやの柱にはるお札にさえちゃんと栗毛、鹿毛、葦毛の区別があって、自分の馬の毛並に合せることになっている。人間の護符にそんな区別がある話は聞いたことがないではないか。

※

日本人の家系だの血統だのという感覚は家畜の血統書以上にものをいうことはなかったように思う。いつか運勢だのタタリだのといっぱい書き並べてある暦に、ある易者が「先祖々々と言いますが五代前の先祖の名前を知っている人はほとんどいないものです」と書いていたのを読んで、なるほどと思ったことがある。沙漠の嵐に対抗している石の建物ならいざしらず、たちまち腐ってしまう木や草の住居を基準に家の観念を作り上げてみても、それは変りやすい世界を測る時のものさしとしては何とも短かすぎる。年々歳々花は同じだが、人間はすぐ変る。その人間のちょっとした属性の遺伝をどんなに強固にみせかけようとしても、究極のところ時間の恐しさというものを侮蔑した思想でしかない。

最近、ある日刊紙に「長屋の革命」という投書がのった。読んでみると炭鉱の八軒長屋、いわゆるハモニカ長屋の共同水道が廃止され、各戸に水道が引かれたのを喜んだ記事だった。炭鉱の生活をかじっている者にとって、なるほどそれは大変化だとうなずかれはするのだが、しかしそれは「家の近代化」と同じく、何という軽快なよろこびであろう。ハモニカ長屋の主婦たちは自分の家が共同便所のすぐ横に位置することを歓迎する。彼女らの説によると、それは決してただ便利だからではない。野菜を刻むにしても、裁縫をしていても便所が近くにあるというだけで何となく安心する。腰がすわるのだそうである。檀那衆はさておき、日本の民衆が「家」という観念を棄てがたく思ったのも、実にこのような容易に腐らない屋根の下に住むという落着き、ただそれだけのことだったのではあるまいか。そしてそれも貧農には縁のない願望でしかなかった。

※

アジアにおいて近代化という概念がショックを与えるのは、それがぼう大な無にひとしい時間に刃向っているときだ。家の観念もその空しさに対抗するために作り出された虚構にすぎないであろう。とすればこの虚構が破壊されたからといって、その立向っている数千年の無歴史的な時間が動かされたわけではない。観念の家、抽象の家などはどうでもよい……今も昔もそう考える人間の方が多かったにちがいない。問題はそのような人間が雨露をしのぐこと、一箇の泉を身近に持つこと、便所の傍に位置することしかいまだに考えられないことにある。社会学者や法律学者は「家」が近代化されたなどと百度も説明するだろう。しかし壊れたのは人間の「家」であって、牛小舎ではない。そして人々は牛になろうとひしめいているのだ。つまり家の崩壊、近代化とはある種の階層の没落を意味するだけのことだと私は考えている。

家というこましゃくれた物尺が復活しようと、滅びようと大したことはない。それよりも大切なことは生活の一種の無時間性がますます強められていることである。農民にせよ、小市民にせよ、日常生活がなんの歴史的時間とも接触せず流れ去っている無気味さに人々が声をあげないのはどうしたことか。女たちが広く不貞の思いに悩まされはじめたのは、そのかすかなしるしであろう。だが彼らに必要なのは歴史への参加である。そのことによって特定の男のために生きるのをやめることである。農村では女たちのサークル活動などがすこし活発になってきた。しかし彼女らはまだ愛の「私有」に反旗をひるがえしてはいない。もし彼女らがそれに踏みきれば、真の革命が日本の家庭を吹きまくるだろう。

彼女らはためらっている。しかし流れはその方向を指しているように思う。父親がかろうじて牛であるときに、女はまだ牛ですらもないけれども、彼女らが一度に二段階かけ上らないとは断言できない。私はそれを家の近代化と呼ぶことにする。

（一九五八年四月二三日「東大新聞」復刊四三号）

自分のなかの他人へ

井上俊夫同志。いま毒をまく農夫が小さなマクベスのように幻しと白煙のなかで動くのが見られます。一夜の雨で人間は千人も死ぬことを思えば、毒に殺される虫はまだしあわせな奴です。すこしの雨が降るたびに人間の死が記録される九州。もし雨で死ぬ者がなくなったら、私は九州の革命は完成の段階に入ったと宣言しようと思います。その雨の夜、菅生事件の「元凶」と話していました。火山と岩のブロックに囲まれ、牛と大鎌の装飾をもつ台地、狐の穴より少い人影の村、そこで調査団が事件の夜を再現すべく照明弾を打ち上げると、人々は——ああ、あのときとそっくりだ。花火みたいだ——とはずんだ声を上げたという。これは果して傍観者の声でしょうか。真の主人公の声でしょうか。それとも最後の幕にはもう誰もいない、狐の穴と人間の家……それでおしまいという次第でしょうか。雨に殺されてはじめて感じられるいのちとその姓名、事件の舟をうかべてはじめて存在を明らかにしてくる村という湖。私がその一つであることを妨げる活字の匂いにいらだっています。

世界が愚鈍の季節に入ったことはもう疑えません。毎朝の新聞がのせてくる「執行的エリイト」達の痴呆の表情は田舎人のささやかな楽しみの種でもありますが、結構田舎も松くい虫の速度でやられています。今年になってこの町でもうバアが十軒できたんですから。畳屋とかまぼこ屋の間がバア。この分では狐の穴まで逃げのびるより手はなさそうですが、そこにも照明弾が上っていたんではね。いっそのこと帆船でも仕入れて女詩人をひとり乗せ、毎朝彼女の作品に悪態つきながら世界を一廻りしようかと思います。

個人の感懐をつづけるなら、谷川雁は武士であるだの、幻想家だの、大地崇拝だのという寸づまり批評にもつくづく飽きがきているのです。これらすべてきらいな言葉ではないのでそっくり戴いてもいいのですが、どうも単語という奴は幅も長さも分らないし、どんな着物に裁てばよいのか使いみちに困ります。私が聞きたいのは、私の詩が今の日本に蠅取粉ほどの人畜無害さしか持たないかどうか、それだけです。

しょせん我々の伝達法ときたら恐るべき代物にちがいありません。第一アイ・ラブ・ユウというのがないんですからね。この最も基本的な戦略用語が。そこで火炎ビンまがいの論理をふりまわしたら、味方の陣営から煉瓦のように固いパンが降って来た……あたりまえのことで後悔もしないかわりにいささかげんなりしています。

農民などと広漠たる範疇を非農民の私が乱用したおかげで、あなたや黒田君が農民の自衛本能にもとづき私の不法侵入をとがめられたのは当然です。けれども折角防衛してもらうなら、もうすこし此方の領土にも侵入してくだされればよかった。たとえば「小ブルジョアジーのはたした重要な役割」などに関しても。どうも私には彼等の表現に批判的リアリズムの存在を認めるとすれば、それは農民の歴史的な性格の型を屈折して反映させるプリズムでしかなかったように思われるものですから。

そもそも農民に関して我々は同一円周上に存在しておりません。あなたは農民の一分子として微分化された地点に出発し、私は非農民としておのれの生活史のなかに積分された農民を見る……あなたは帰納し、私は演繹する。したがって私の農民に対する函数は自己のうちに内在する他者の確認であり、それへの親和であると共にその終局的な廃絶です。——けれどもあなたが自分自身を、つまり農民を描かれるにあたっても、必ずやあなたのなかの画家は私とは逆に非農民の眼を持っているはずです。我々は「他人の血」で養われているだけでなく、自己のうちの他人の眼に頼るほか自身を眺める方法を持たない。しかし小市民と農民、労働者と農民との間にこのように倒錯した対立関係があること、それを変革者の勢力が自覚していないこと……したがって両者の伝達を媒介するエロスが孤立していることを私は主張しました。だから倒錯を前提としている私に「逆立ちしたインテリゲンチアのコンプレックス」と言われても、それはそうですと申上げるよりほかはありません。では逆立ちしないで歩けるような既成の道がありますか。

社会的な規模における自我の分裂、それが階級意識ということであるなら、我々一個の自我も当然に内的分裂をしています。それが二十世紀の精神的刻印です。そしてそのゆえにこそ東洋の天才たちをとじこめてきた峻烈な自己修練、あの半神半人の思想から我々を解放する伝達の芽が伸びているのです。そこから我々は再統一をめざしている。とすればある条件での不法侵入もまたやむをえないし、私が農民を讃美したからといって（異質のものを褒めたんですからね）、農民たるあなたが「てれくさく」はにかまれる必要もなかろうし、感傷だとか幻想だとかうれしがられる権利もないではありませんか。

　自己のうちの他人を認めること、自己分裂を恐れないこと……ここまで来るのに日本の革命勢力は戦後十年をついやし、まだ時間が足らないようにみえます。さてそれから集団的自我の統一の命題を理解せねばなりませんが、その統一の契機についての観念があまりに浅薄です。まかぬ種子は生えぬ。革命は輸入できぬ。とすれば何かがなくてはならぬ。この三段論法は否定できません。プロレタリアの運動、それはもちろん正真の種子です。しかしその種子はどんな種子から？　自由民権運動、百姓一揆。じゃその種子は何から？　さらにその以前は……といっても縄文期以来たかだか二千年です。

　黒田説によれば「それはあまりに遠くにあって見えない」という。あなたは封建制下の共同体における支配服従関係の強さを力説する。私は歴史学者でも何でもないので両説を採点するわけにはゆきませんが、これではどうも論理のすれちがい劇です。「生命とは蛋白質の存在様式である」というエンゲルスの命題にならって、「××××は日本の前コミュニズム、前民主主義の存在様式である」この伏字を起しなさいという問題に、それはアジア的共同体の連帯性であると私が書きこんだのです。それが誤りだというなら、あなたの答を書いてくださいませんか。でなければ日本の新しいコンミューンの独自性、その民族的基礎が分らないじゃありませんか。それをはっきりさせずに遺産の継承とは舌切り婆の大つづらです。

あなたの好意ある批判を読みながら、どうも私ははぐらかされているような気がしました。たぶんそれは私の不法侵入ぶりの居直り的態度にあったのでしょう。また紙数や不精さのために大分途中の論理をとばしてもいます。けれどもあなたに分ってもらえなければ日本に私の考えを分ってくれるのは一ダースもいないでしょう。何たる説得力！　しかし私にしてみれば小市民インテリゲンチアとしての自分なんてものは、子供のときから馴れ親しんできたあの異様な暗黒、単眼の夜、東洋の村の虚無《アナーキ》にくらべればアイスクリイムの皮にも当らないのです。だから私はモダニストや左翼官僚とちがって自己のうちの他人を圧殺する早廻りコースをとろうとしていないのです。どんな犠牲を払ってもこれと接近し、これを飼い馴らし、大いなる混沌の盃からそのエロスを集団的自我へ注ぎこもうと考えています。それまでは感傷派、幻想派、抒情派、浪漫派、古典派、象徴派、似而非農民派、芸術至上主義派、それらの呼称を「頂くものは夏も小袖」ともらいためておこうと思います。蒐集癖はもちあわせませんけれども、うまくゆけばいつかはこころ優しい奥山の怪物になれるかも知れません。それを空だのみに低血圧の夏をひっそり暮している今日このごろです。

（一九五八年二月　「民族詩人」一号）

Ⅲ

詩と政治の関係

僕の意見のあらましはこうである……詩と政治をつなぐ橋は「表現の自由」である。すべての詩は表現の自由を得ようとする方向をもつがゆえに政治的とならざるをえない。政治は彼自身を根源的に否定するときはじめて人間の自由とならび立つことができる。正しい詩は政治にそれを要求する。そのために詩もまた自己否定の炎をくぐらなければならない。かくて詩は武装された非公然の自由を獲得する。このような反抗の支点は日常性と歴史性の交叉のうちに求められるべきである。

僕は政治というものをわが家の納屋の隅ほどに理解してはいない。いや、納屋の隅こそ政治の原子炉だと考えている者である。詩についての僕の考えは世界についての考えからみちびかれたもので、疑いもなくそれは偏ったものだ。その偏りを説明する絶対的な方法はない。僕は生きることでそれらを証明する一片の事実を引きだそうとしている。僕が万人をなっとくさせることができなかったとしても悔いることはない。僕は親しい人々やおのれの階級とおのれの党派のために書く。

だから詩に関して僕は政治派だ。しかも反政治的な政治派だ。僕の眼からみれば多くの詩は非政治的であるにすぎない。つまり男でもなければ女でもないのだ。また一部の政治的な匂いのする詩は二三年でかびの来そうなのが気にくわぬ。それは単に政治的な政治派でしかない。こんなわけで「詩は詩、政治は政治」組と「詩は政治に奉仕する」組が根気よくにらみあっているのをみると僕には泰平の世のしるしとさえ思われてくるのである。

今年一九五六年一月二四日の朝日新聞に鮎川信夫は「詩によって集団組織をめざめさせようとするこれまでの拙速主義のやり方はすべて失敗し」「詩的感動というものが個人をしか目覚めさせない」ことが明らかになったと書いているが、それは全く当然のことであり、当然すぎるゆえにすこし違うという風に僕には感じられた。皮肉をいうつもりはないが抵抗詩などという言葉がはやった五三・五四年頃にはどうやら詩人の実際上の危険は大方去っていたと思うがどうだろう。それ以前の米軍政下でひとりの詩人も筆禍にあわなかったということは慶賀すべき事実ではあったが。かくのごとく安全極りない抵抗詩を料理するのに鮎川的良識はまことに適当なものであるが、もしこの育ちのよい抵抗詩繁殖の理由が外国軍の直接支配の後退、朝鮮の休戦、世界平和勢力の前進にはげまされていたのだということを理解する読者が一人でもあったならば、それはまことにくっきりと政治的な事実ではないか。と同時に抵抗詩が「鳴りをひそめた」理由は決して「左翼運動そのものが退潮期に入っている」のではなく、それどころか世界平和勢力の一層の前進をどのように受けとめるかが少々混乱していることにあるのだ。暴力革命よりは平和革命の方がもっとその内圧は高い、というのはボイル・シャールの法則から思いついた僕の独断だけれども、混乱の主要な原因は革命がなしくずしにできあがるようなことは決してないという鉄則を忘れかかったところにある。鮎川は「拙速主義」を責めるかわりに、文章の題名通りふんどしのゆるんだ「おとなしさ」を責めるべきだったのだ。大衆の中に存在している危機の実体を知らずに「言論の自由を守れ」などと空騒ぎしている馬鹿づらをひっぱたけばよかったのだ。国民の大部分にとって言論の自由はまだ味わったことのない果実である。考える時間、鉛筆と紙、発表の機関がないと感じている人々ですら、まだ勤労大衆の先進的部分にすぎない。このことは農漁村を廻ってみれば一目で分る。守るべき自由をいくらかでも現に所有している人々は言論に関するかぎり国民のきわめて限られた部分でしかない。この事実を忘れた「言論の自由を守れ」運動がいかに空しいかを理解しない者はすでに半ば以上みずからの自由を棄て去ったも同然である。自由は戦う人々、攻撃する人々に所属する。それはてのひらで蔽うことのできない気体である。この意味で今日不振なのは決して左派詩人だけではあるまい。いま非常に広い領域にわたって危機感の喪失がみられる。僕ははっきり警告しておく。幻想を棄てるがいい。僕らは国民的規模においては戦う自由以外のどんな自由をも持たないのだ。僕らのもたない「表現の自由」、それに向って「戦う自由」……これこそ詩と政治を反応させる触媒である。証拠として次の詩を提出しよう。

火をたやすな

エリュアール

どうすればよいというのだ、戸口には見はりがたち……
どうすればよいというのだ、われわれはとじこめられ……
どうすればよいというのだ、町は通行を禁止され……
どうすればよいというのだ、町には出口もなく……
どうすればよいというのだ、ひとびとは飢え……
どうすればよいというのだ、われわれの剣はうばわれ……
どうすればよいというのだ、今日もまた夕闇が迫り……
ああ、どうすればよいのだ、愛しあうこのわれわれは……

（東大世界文研フランス抵抗文学研究会訳）

※

この詩の中にあそび（形式への偏向）があることを指摘しておかねばならぬ。それによってエリュアールは自己の危機感が支えているのは絶望ではなく自信であることを表明している。表現の自由は創造の自由と発表の自由に分れるのだが、たとえ発表の自由はうばわれても生きているかぎり創造の自由は残る。この点に関する満々たる自信が発表の自由すらないということを主題に作品を書かせたのだ。ここに被支配者の力の転回点がある。僕は戦争中「奴隷になってもイソップ物語ぐらいは書けるぜ」と言ってあるいたが、寓話を書いたイソップはもう奴隷ではなかった。だが戦後はたして僕はイソップ物語を書いたであろうか。朝鮮戦争が始まった頃、僕の詩が大島博光の主宰する『角笛』から「客観情勢から掲載できない」といわれて腹を立てたりしたことがあり、「合法誌の情なさ」を感じたりしたのだったが、そこいらでどうも袋小路へつきあっていた。掲載を遠慮させられたり、改ざんされたり、掲載の後で波紋を生じたり、そのために雑誌がつぶれたり、そういうことを繰返しながら僕のもやもやはまだすっきり晴れあがってはいない。僕らは今真に大衆的な立場で、何が書けないかをはっきりさすべきであると思う。

僕は詩に関する美学的な尺度がきらいである。その意味で技術という言葉が使われるときにはカンシャクを起すのだが、日常語で書けないことを書く方法としてなら技術もまんざらではないと思うのだ。書けないということには二種類の内容がふくまれている。一つは書くことを禁じられている、もし書くならば身辺に危険が及ぶとか圧迫を蒙るという類い。主として法律、道徳、習慣または権力の強制に基くもの。二つは書くことが困難である、表現しにくい、たとえ書いても日常的表現と相へだたること遠い、いわゆる前衛的な表現のめざす内容、主として感覚、特に時代的感覚の強制に基くもの。僕のいうまんざらでない技術とはこの二つの種類の障碍を同時につらぬくものである。なぜならこの二種類の障碍は無縁のものではなく、第一類はすでに感情の領域を離れた客観性を持っているのに対して、第二類はその土台をなす広い感情の世界を形成しているが、第一類は第二類の凝縮された集中的表現であり、その自己疎外されたものということができるからである。今日の詩はこの二つの障碍のどちらかまたは両方に対して反抗し、自己表現を試みているのであるから、反抗の深さはそれぞれちがうけれども反抗なしに詩はありえない。前にあげたエリュアールの作品は主として第一類に対抗しているが、第二類だけに対している作品でも、感情の領域を拡大し公認させようと苦しんでいるという点で、表現の自由のために闘っているということができる。

ところで表現の自由に関して政治の方はどのような立場をとるだろうか。もちろんそれには二つある。現にある自由をすでに不当に大きすぎると考えこれを縮小しようとする立場と、可能なかぎりこれを拡大しようとする立場である。前者の場合、詩との間に妥協点はない。もしこれを認めるなら、その瞬間に詩は死に見舞われるのである。ここでは詩は政治と完全な敵対関係に入るよりほかはない。非政治派詩人が政治化する曲り角はここにある。また帝国主義戦争を讃美した詩がなぜ作品としてだめなのか、その理由もここにある。同じ理由でたとえ社会主義の社会でも官僚主義的個人崇拝にもとづく詩は自殺にひとしい。それは詩の大前提である自由への闘いをみずから否定しているからである。

しからば後者の場合はどうか。自由の拡大に努力するかぎり、政治は詩と協同することができる。これは当然のことであって、詩と政治の幸福な関係は決して不可能ではないどころか、常に詩人の側からも望まれていることである。だが政治は前の二種類の障碍のうち第一類、すなわちすでに感情の領域から客観化され、ひとつのシステムとして固定された、権力による自由への弾圧に向っておのが力を集中するであろう。それは政治が当面する目標を一つ一つ実現してゆくためのリアリズムである以上もっともなことである。しかし往々にして政治は第一類に対する態度をそのまま第二類への態度に固定しようとする。むしろ第一類は第二類を土台にしているのであって、広汎にして流動的な集団感情への柔軟な態度がなくなれば第一類の障碍がとり除かれてもナンセンスであることを忘れがちである。そこで政治が健康であるためには、つねに政治の過渡的な目標と根源的な目的を区別し、根源に帰ろうとする運動を続けるように詩がはたらきかけねばならない。例をあげよう。

※

ほうび

トヴァルドーフスキイ

二年のあいだ、おちつくことなく
女らしく　秘密になやみながら
かのじょは　あの　旗を　まもってきた
ソヴェトの力をかくしてきたのだ
　　……中略……
そして将軍は　かのじょを　たたえ
〈赤旗〉くん章をあたえた

女は　ことの　次第を　みて
まっかになって　どぎまぎした
――子牛でも　くれたら
そいで　よかったにな

（世界抵抗詩選刊行会訳）

問題はこの作品のなかで勲章と子牛が対置されていることである。勲章が無名の英雄を讃美し、それを普遍化してゆくための方式、いわゆる革命的英雄主義をあらわしているとすれば、子牛は非実利的なものに対する率直な疑い、すなわち民衆に本質的な反英雄主義をあらわしている。この二つのどちらかがなかったらおよそ社会主義体制というものはこの世で最も馬鹿げた努力であろう。

すべての人間が勲章に値するならば勲章はなくなる。勲章がめざしている目的がそこにあるならば、勲章は勲章そのものをほろぼすために存在するということができる。政治は勲章である。自分自身がやがて無用なものになることをみずから期待する制度の運動である。「共産党を結成し、発展させることは、共産党およびすべての政党制度を消滅させる条件を準備することである。」（毛沢東『矛盾論』）勲章をなくすためには勲章の無用を知っている勲章を作らねばならない。

自由をうちたてるためには自由の限界を知る自由を確保しなければならない。政治はそのように一種の過渡性に賭けるリアリズムである。詩もまた素材である言語の面で大きな時間と空間の制約を受けている。しかもなお詩が賭けているのは一種の根源性であって、それもまた一つのリアリズムである。

たとえば政治の平和に対する現在の考え方はさしあたって戦争をしないことであり、それはまことに大切であるが、詩の考え方はいくぶんちがうはずだ。平和の積極的内容、トーマス・マンのいう「この光りにみちた地上」の概念から出発すべきだ。政治が支配者のナマな暴力を間接的にしかも冷酷に使用する方法を発明してから、現実性《リアリティ》というものが二つに分裂した。政治の方法と詩の方法がいずれも一種のリアリズムとして対決した。この断層の深さを知らないものが安直に「政治詩」を書いたり、社会主義リアリズムを唱えたりするから事態は一層混乱するのである。

僕は男でないものが必ずしも女とは限らないと思う。男に反しているものこそ女である。根源的な目的を忘れて過渡的な任務に硬着しやすい政治の側面と、根源的な意図を強く持ちながら目的性を忘れてしまいやすい詩の側面とを互いに克服しあうような関係に保つことこそ、その矛盾をにぎりしめることこそ新らしい詩の出発点だと思うのだ。すなわち僕が反政治的な政治派と自称するゆえんである。

※

矛盾を克服するなどといえば、すぐ酸とアルカリで中和するようなことを考える人があるから断っておくが、矛盾の克服の第一歩は矛盾そのものを深くすることである。詩人はおのれの要求の強さによって社会に貢献するのだということを忘れてはならない。政治の要求の強さに詩のそれはとてもかなわないと考えるのがたいていの非政治派の性根だが、それじゃなぜ詩を書くんだ。どのような種類の内的要求よりも強い詩的要求を持つ者、それが詩人なら、それは外部へ向っても請求権を持つのだ。そしてこの世の債権債務関係はブルジョア法のように厳粛にして馬鹿々々しい確定性を持っていないことに留意したまえ。たとえばハイネの「シュレージエンの織工」をみよう。

くらい眼《まなこ》に涙も見せず
機《はた》にすわって歯をくいしばる
ドイツよ、お前の経帷子《きようかたびら》を織ってやる
三重の呪いを織りこんで――
　織ってやる　織ってやる！

（井上正蔵訳）

組織的な闘争の計画もなければ未来への希望もない。〝建設的な〟一語もなく、ただ神と王との偽りの祖国に向って低い呪いを浴びせる。その呪いの強さにひとえに身をもたせかけている。

いかにも襲撃の名人ハイネらしい手口である。異郷にあって聞いた七月革命の報に彼の心はすこしも弾んでいないようにみえる。彼はまだこの後に流されなければならないおびただしい血の量を知っている。

息がとぎれてもなお「叛逆」と叫びながら
私は名誉の最後をとげたのだ

（井上正蔵訳「新ライン新聞」訣別のことば）

などと闘士気どりのフライリヒラートよりも彼の方がはるかに執拗なのだ。そこに彼の偉大さがある。「そうです、友よ。僕は政治に真実の嫌悪を抱いています。僕はすべての政治思想の道を十歩も避けているのです。狂犬を避けるように……」（「フランスの舞台について」の第二書簡）。こういう言葉を吐く人間は決して非政治的ではなく反政治的なのだ。フランスを去るにあたって、「あなたを荷造りして一緒に連れてゆきたい」（一八四五年一月一二日書簡）と言ったマルクスはぶきみなまでに青白い否定の炎の底でとけているハイネの健康な笑いを愛していた。

くりかえしていうが詩人はその要求の強さによって政治と統一する契機をつかむ。詩は政治に対する加害者になることもできるのだ。日本の詩が政治に触れるとき面白くないのはその要求が弱いからだ。次のゴットフリート・ベンの作品なんか何でもない内容だが、その要求の強さたるや相当なもので、そこから面白さがあふれている。読者は少女になることも鼠になることも勝手だがいずれにしても三人称の手から水に投げこまれることを覚悟しなければならない。

美しい娘

ベン

長い間　葦の中で
寝ていた少女の口は
嚙じられた様子だった。
胸を切りひらいたとき
食道は穴だらけ。
果ては横隔膜の下の通路に
仔鼠が巣くっていて
一匹の仔鼠は死んでいた。
他の仔鼠は肝臓や腎臓で生きていた。
ここで冷い血を飲み
美しい娘を食べて生きていた。
そこで　彼等の死も美しく早く来たものだ。
全部まとめて水に投げこまれた。

ああ、小さな鼠どもの鳴き声よ

（笹沢美明訳）

このとき政治は遥か地平の森まで後退していると錯覚してはならぬ。政治は鼠どもの鳴声のように僕らの耳のすぐ傍で音を立てているのだ。ランボオが「谷間に眠る男」の中で一人の戦死者を次のように歌うとき

※

うら若い兵士が一人、頭はあらはに、口をあけ
裸身《はだか》を青々と爽やかな水菜に潤して

……中略……

眠っている、両足を水仙菖《すいせんあやめ》につっこんで
病児のやうにほほえんで、眠っている。

（小林秀雄訳）

そのときランボオは、あのルイ十六世をどやしつける「鍛冶屋」のなかで彼自身書いたように「――それほど強さを自覚していた。優しくなろうと望んでいた！」つまり彼はこの瞬間には政治に対するヒステリックな抗議を必要としなかっただけである。戦死者は美しい自然の一部分と

化して、そのような意味で彼はまだ生存を続けており、細い声で平和の歌をうたっている。戦争の無意義に対して自然の美をもって抗議している。その美はまさに彼の死によって造られた。この詩を読むとき、僕はマヤコーフスキイが「声を限りに」の中で歌った

死ね、僕の詩よ、
　　死ね、一兵卒のように、
名もなき僕らの同胞が
　　　　突撃に死んだように
　　　　　　　　　　　　（神西清訳）

という詩句を思出す。詩人の要求の強さはどこから生れるか。それは敵をたおすために自分自身を根源的に否定し、その否定の強さで相手をたおそうとする態度から生れるのだ。その意味でランボオは戦死という事実を自然界にまで還元し、マヤコーフスキイは自分の詩に「死ね」と命じているのだ。ちょうどガラスを切るにはダイアモンドを使わねばならないように。

詩人は自分を解放しようとする全面的努力によってしか、世界解放の運動に参加することはできない。あたりまえなことのようだが、政治的にはそうとは限らないのだ、ブルジョアが民族解放運動に参加したり、地主が自由民権を唱えたりするのはざらにあることだ。だが詩人というものは世界全体が解放されないかぎり決して自分自身もしあわせにならない、とは宮沢賢治のテー

ぜである。裏を返せば、詩人は決して自分自身をすでに解放されたものと規定してはならない。自己救済が完了したという観点に立つ者はどのような意味でも詩人ではない。世界にただひとりの癩病人がいる間は詩人もまた癩病をやんでいるのだ。革命運動のなかに一片の頽廃がひそむとき、その頽廃から無縁であると考える革命詩人はすでに頽廃に侵されているのだ。ブロークの長詩「十二人」なんかはこの命題を駆使した最高の例ではなかろうか。老婆や娼婦やルンペンや「犬のようにかつゑて、疑問符に似て立つてゐる」ブルジョアやそれら反革命的渦巻きの唯中へ、作者は「破れ外套に墺太利《オーストリー》の銃と来た！」十二人の若い兵士の吹雪のようにはげしい精神の矛盾をぶつけながら、しっぽを巻いた古い世界を砕氷船のように割ってゆく

同志達《タヴーリシチ》銃を構えろ、びくびくするな！
神聖な古いロシヤに一発くはせろ――
　頑丈な
　百姓家じみた
尻の大きいロシヤにさ！

ええ畜生、十字架なしだ！

（米川正夫訳）

※

瞠視欲

長谷川龍生

もう、耐らない
女が、絶え入るように叫んだ
いくつかの駅が通過したが
終着駅はいまだ来ない
俺は、その場で、シャワーをひねるようにやってしまえと想った。
だが、女は歯をくいしばり
あらゆる神経を集めて
出口を防いだ。

急行車のなかで下痢をがまんしているキャンプ売春婦。それは一瞬の油断もなく緊張して自分を抑えていなければたちまち破滅してしまう民衆の生活にひとしい。彼女はたやすく排泄することが思いもよらない状況に追いこまれている。詩人は心のなかでむしろ一思いにやっちまえ！と煽動するが、それを口に出すことはできない。それにしても人々は解放への出口を求めるよりは、歯をくいしばって出口をふさぐ方を選ぶ。作者はこれを見ながら「胸をかきむしり、ひきちぎり、殺意が起って」くるほど、民衆への切ない愛をもてあますのである。ここで政治的もしくは歴史的意味のある言葉はキャンプ売春婦という一語だけだ。あとはひたすら卑俗な生理的状況に共感の波を起させることで解放への衝動を伝える。これは作者が表現の非公然性についての用意の深さを示している。日常風の生活詩ではない。まれにみるほど固く自己を防禦した詩である。作者は敵の一翼ではなく、中枢部を襲おうとねらっているからだ。「長谷川龍生のつねに他の地点に向って移動する精神の自由さ」(『ユリイカ』五六年一〇月号「今月の作品から」)などという解釈もあるがそれは解放というものを上すべりな流動性と結びつけてしか考えることのできない固定観念によるもので、哀れな鑑賞力というべきである。彼は全然移動していない。彼は頑として穴住まいの章魚の一撃に賭けているのだ。流動しているのは彼の眼前の景色だけだ。そもそも解放とは攻撃の成果であり、攻撃というものは(やったことのない方はお分りでないかもしれないが)守勢の地点を固く踏みしめることからしか出発できないものなのだ。自由の獲得の第一歩は非公然の自由から始まるのだ。

今日、詩の表現が非公然の過程を通らずに可能であるかどうか、僕らはもう一度ゆっくり考えるべきではないか、中小企業の労働者が明日のクビを心配せずに職場を歌うことができるか。農家の娘が具体的に自分の恋を歌うことができるか。主婦が夫への失望を歌うことができるか等々。「具体的にありのままを書け」などという指導を読んだりすると、僕はいきどおりに胸がつまるのだ。それは「上手に嘘をつけ」ということと同義語だから。僕が自然主義的抵抗詩を否定するのはこの理由にもとづく。それは芸術的に低いからではなく、嘘だからだめなのだ。真実をいおうとすれば武装が必要になる。自由の喪失状態にまっこうから挑みながら、これを何時の日か公然化するために要塞を築かねばならぬ。今日、詩は本質的に非公然の作物である。この事実を認識するよりほかに自由への道はない。自由は唯一の地下道をとおってやってくる。再びエリュアールに聞こう。

わたしは、ひとびとにあおうとして
あの道をとおったのだ、身をかがめて
わたしひとりがしっている、あのぬけみちを。

（「やがて」 東大世界文研フランス抵抗文学研究会訳）

※

抵抗詩の最も厳密な定義はここにあると僕は考えている。すなわちそれは武装している詩のことである。たとえ進歩的な意図をもっていても武装を解いている詩は抵抗詩と言いがたい。このことをぬきにした詩の普及なんてものは有害無益だ。いや、人畜無害といった方がよかろう。階級性というのはそういうことだ。敵の包囲それ自身に自由の契機をみいだすことだ。裏返せば僕らが日常的なものとしか見ない事実が敵の包囲の先端であり、そのゆえに日常的事実は寸断し、奪いとり、逆手にとることのできる武器であると気づいた青春の日に、僕はやや唯物論に近づいたような気がする。

アラゴンが戦いの最も困難な日に黄金の髪を梳くエルザをみつめていたように、愛は戦いの元素である。たとえそれが小市民的平安への愛であっても、いや、玉ネギの匂いや台所の物音だって戦うのだ。極限の状況におかれた人間のすべての種類の愛は、その状況をおしつけた者と敵対する。弓のつるを後へ引っぱって矢を飛ばすように、そこでは敵対者と全く無縁にみえるほど遠く離れた感情が、それだけ強く敵を攻撃する。その手本は与謝野晶子の「君死にたまふことなかれ」である。

旅順の城はほろぶとも
ほろびずとても、何事ぞ。
君は知らじな、あきびとの
家の習ひに無きことを。

小商人の保身の算術に母性愛に近い姉の配慮を加えて、高い格調を与えると共に二重の日常性で帝国主義戦争に目つぶしをくわせた効果の鋭さはたぐいのないものである。これに対して晶子の夫、鉄幹は幸徳事件のあった一九一〇年に次のような詩を書いている。

誠之助の死

日本人でなかった誠之助、
立派な気ちがひの誠之助、
有ることか、無いことか、
神様を最初に無視した誠之助、
大逆無道《だいぎやくぶどう》の誠之助。

ほんにまあ、皆さん、いい気味な、
その誠之助は死にました。

誠之助と誠之助の一味が死んだので、
忠良な日本人は之から気楽に寝られます。
おめでとう。

当時としては素材の珍しさがあったに違いない。しかしこれは題材だけが危険で作者は安全地帯から月夜の西瓜泥棒みたいな及び腰で横眼を使っている。概念のあぶくである。晶子は庶民の日常意識に訴えているのに、鉄幹は庶民に対する不信の念に訴えている。そのために「君死にたまふ……」は大理石のようになめらかで緻密な質をもっているのに、「誠之助」は砂岩のようにもろい。僅か五年間に妻と夫の感情の肌合いがこのようにずれているのはただならぬことである。そこに日本の知識人の真の抵抗感が急速にかたむいていった時代の化石を見ることができる。このあと日本人の抵抗感が太陽の光を受けてまともに立直ることは半世紀後の今日もまだ充分にできていない。それは詩人だけの罪ではないにしても、僕らの詩のコースがどこで誤りはじめたかを考えるとき、短歌と新体詩と現代詩の幼児が一つの人格に統一されていた『明星』の中核を検討しないわけにはいかぬ。僕はここで従来の定説に疑問を呈するのだが、一九一一年六月一五日に作られたという石川啄木の「はてしなき議論の後」とか「ココアのひと匙」とかいう作品がなぜプロレタリア詩の先駆としてもてはやされるのであろう。

されど、誰一人、握りしめたる拳《こぶし》に卓をたたきて、
'V NAROD!' と叫び出づるものなし。

だの

冷めたるココアのひと匙を啜りて、
そのうすにがき舌触りに、
われは知る、テロリストの
かなしき、かなしき心を。

なんて詩句は同日に作られた「書斎の午後」の「読みさしの舶来の本の　手ざわりあらき紙の上に　あやまちて零《こぼ》したる葡萄酒の　なかなかに浸みてゆかぬかなしみ」という詩句と並べて見るとき、杢太郎、白秋、光太郎ら一門相伝の「かなしい」表現法にすぎないということは疑う余地がないではないか。たとえば小田切秀雄の「社会主義をつかむ場合にしても漠然とした正義感や新しいもの好きの気持で触れていったのではなかった。せっぱつまったところからの打開の血路として身をもってつかんだ……」（『短歌研究』五六年六月号「啄木のにがい真実」）などという評語はどこを押せば出てくるのか。僕にはハイカラ好みのちゃちな田舎者しか見えぬ。僕は啄木の感傷にみちた社会主義には値段をつける気にもならないが、彼の内奥にある「故郷」にはうたれる。

船に酔《ゑ》ひてやさしくなれる
いもうとの眼見ゆ
津軽の海を思へば

彼が主観的には絶縁しようとあせりながらついにそのきずなから逃れることのできなかった村と大地をすこしはにかみながら歌うとき、日本の詩と抵抗のよって立つべき基盤をはからずも探りあてていたのである。

※

もし反抗から生活の内容をみたしている日常性が失われるならば、それは概念化におちいり、歴史性が失われるならば末梢的なモダニズムとなる。これはあたりまえ至極な話だが、日本の詩がそういう自然主義と近代主義の間をうろついてきたのも事実である。いや、おれだけはそうでないと考える者があれば、それこそ田舎紳士の特徴というやつである。この自然主義と近代主義がお互いに侮蔑しあいながら一人の人格に共棲しているという事実をどのような法則性の下に理解すべきか。このことに関して僕は「農民というものを考えよ。自然主義はもちろん農民主義であり、日本の近代主義は土地を追われた農民の裏返しの農民主義である。」と主張してきたが、あまり正確な反応はなかったようだ。政治的にみれば自然主義的農民主義はアナルコ・サンジカリズムとなってあらわれる。そこで前コミュニズムとしてのアナルコ・サンジカリズムの役割を評価したのは花田清輝の功績であるが、彼はまだそのアナルコ・サンジカリズムの進歩的な側面を支える民衆の意識の深部をどのような経済制度《ウクラッド》の上に発見するかについて積極的な提案をしていない。これに関してかつて僕は簡単にそれが東洋的な村落共同体の連帯性であることを指摘しておいたのだが、ここで詳しく触れることはやめておく。

最後に吉本隆明の「戦争責任」論にふれておく。彼の問題提起は正しかった。しかし彼は批判の基盤、批判の尺度に「庶民意識との断絶」ということを持ち出したので、新しい混乱を作りあげてしまった。進歩という概念はそもそも個人のものではない。進歩を荷うものは被支配者全体であって、それが庶民であろうと人民であろうと彼等を離れて歴史はない。進歩はない。吉本理論は正しい部分を持っているがこの点では致命的に誤っている。吉本は『現代詩』五六年八月号で僕の詩集『天山』を批評して、僕の「政治思想や実践など何ものでもない」と透視術みたいな折紙をつけてくれたが、僕は三百里をへだてた未知の詩人から「政治的評価」を受けるほど僕の実践も有名になり、牙をすりへらしたのかと歎いたことだった。それはともかく彼が「谷川は古いナショナリズムとコミュニズムとを肯定的に結合した」と首をかしげた上で「コミュニストであるよりも前近代的なナショナリスト」などと言いだすのをみると、いささか苦が笑いをする気にもなれない。御安心あれ。僕は樺太、千島の返還などと決して言ってないのだから。「前近代的」とさえ言えば何か安心したような気になる心理構造も困ったものである。国際主義とは戦闘的民族主義のことである。これはコミュニストのインターナショナルな規定であるから念のため御披露しておく。

岡本潤、壺井繁治らが誤ったのは庶民意識の深部へ降りてゆこうとせずに、浅いところで断絶を試みたからである。コミュニストになることが自我の基盤を深めて自我を殺し、それによって新しい自我を誕生させることにならなかったのである。彼等は日本の最後のアナーキストとして前にのべた自然主義と近代主義のからみあう最も荒涼とした現代史の地点に立っていた。ここから彼等はどうして脱出したか。いや、まだ彼等は脱出していないのである。彼等は自らのアナーキズムと断絶する前に、真のアナーキストとして深化し、日本の村と大地の中に入ってゆき、それによってアナーキズムを克服しなければならなかった。もし彼等がそうしたならば、日本の抵抗詩の歴史は一変していたであろう。コミュニストになった彼等が今なおその両方の肩に「日本の沙漠」を負うているその姿を笑う者は、彼もまた喜劇中の人物といわねばならぬ。

（一九五六年『講座現代詩』I 飯塚書店）

党員詩人の戦争責任

一

ここ半年の詩壇は、前世代詩人の戦争責任というテエマをめぐって、大きなうねりのようなものを感じた。それは日本の詩の表面的な明るさと暗さをもう一皮むいてみようとする動きであった。批判の中心には岡本潤、壺井繁治の両同志が立たされている。そこにはわが現代文学の一貫した課題である〝人間の転生〟に関するさまざまの願望や呪いがこめられているのだが、目下の特徴はそれが直接にいわゆる転向……革命意識の敗北の問題としてでなく、一度び敗北した者の戦後における再転向という複雑な曲折のうちにひそむ〝たい廃〟をとりあげていることにある。今その議論の内容をくわしく紹介することはできないが、このような現象の発生した理由は革命陣営内部の深刻な反省という内外の歴史的な情勢とおなじ基盤の上に立つものであろう。いうまでもなく敵も味方もこの条件を利用すべく渦まきあっている。だが今までのところ味方の内部にはかなり激しい見解の相違と、大げさにいえば「骨肉相食む」混乱がみられるのは残念である。そこで私は中央から離れた田舎でひそかに考えてきたことの輪廓をのべ、一つの提案をしてみたい。

二

私は岡本、壺井両同志らが侵略戦争に詩人として協力したという評価に賛成する。また彼等の戦後における創造活動にはおのが罪悪の根源をえぐる努力に欠けていたばかりか、他人の戦争協力のみを責める不正な態度があり、それが創造面に反映しているという批判に同意する。しかし、これらの痛烈な批判者、とくに党内の批判者たちに対しても抱かざるを得ない疑問の若干がある。

第一に彼等は岡本、壺井両同志の問題が革命陣営全体の当面する内的な課題にひとしい点を無視して、単に両同志個人もしくはわが陣営の一部の問題として扱っている。

第二に彼等は自分自身を全く無傷な立場におき、おのれのたい廃には眼をつむっている。

第三に彼等の非難は当時の日本の民衆が持っていた意識の諸条件とこの問題との関連にふれていないか、もしくは誤った判断に立っている。

第四に彼等の批判からどのような創造上の発展が導かれるのか明らかではない。

三

まずハッキリさせておかねばならないのは批判の基準をどこにおくか、たれがたれを裁くのかということである。私の考えでは、国民が党を裁くのであり、国民と党がわれわれ党員一人一人を裁くのであり、現在と未来が過去を裁くのである。

いや、当時の民衆は完全な軍国主義者だったと主張する者がいる。もしそうであれば、そのような民衆をどうして内部から進歩の側へ転じさせることができるのか。民衆の〝軍国主義〟とは民衆の素朴な夢のゆがめられた表現である。その押しひしがれ、ねじ曲げられた願望のうちに発展の芽があることを知らない者に革命を語る資格はない。この願望の本体ははるかに遠い古代から民衆を横につないできた共同体の思想、平和と安息と平等への思想であって、この思想の狭い限界をうち破り、その歪曲と闘って、より広々とした国際的な階級連帯への出口をみつけることが自覚した日本人の任務だった。

だが戦前の党はその使命を充分に果しただろうか。もちろん否である。党はまだ精密にわれわれの前に示されていない原因によって孤立してしまった。もとより、わが幹部党員の中核はその後の十幾年を全き節操の下に過した。それは私たちのほこるべき、たとえようもなく美しい詩である。彼等あってこそ戦後の党の発展が保証され、私たちは入党した。しかもなお……「おれたちだけは無傷だ」という幹部党員たちのほこりが、六全協に至るわが党の流血の誤りをうむ直接原因になりはしなかったか。国民を救おうとして孤立してしまった非転向同志の悲劇を軸として、最も責任うすく見える者が最も深く反省するところにこそ、無数の再転向喜劇を泥沼から救いだし、未来へのともしびとする唯一のカギがあるのだ。それが党の任務だ。

数百万の民族の生命をうばいとった戦争に、子供はいざ知らず、一点の責任もない人間がいるだろうか。問題はそれぞれの責任の質が違い、とるべき償いのあり方が違うということではないか。たとえば当時学生であった私はいつも死んだなかまの代理人として、生ける亡霊であろうとつとめてきたつもりである。

四

以上のように戦争責任という問題を測る指標は第一に民族固有の前期的な進歩思想と軍国主義との関連矛盾を明らかにすることであり、第二に前衛党の責任をもっとも人間的に追求することであり、第三に現在から未来への各瞬間にその反省を行為において生かすことである。

このことは複雑ぼう大な事実を厳密な法則性にもとづいて秩序立ててゆく国民の共同事業に属するものであって、特定の人間の独断に終るかぎりなんらの積極的意義をもちえないのは自明のことである。しかるに、現在私をふくめた党員詩人たちはこの共同事業に参加しようとする熱意をひとしく抱きながら、われわれを結合する組織的保障がないために、このように重要な問題に関してバラバラになったイカダのように漂流している。「共産党はまた分裂しはじめたのですか。」という質問さえ受ける有様である。そこで私は党員詩人たちが一定の党組織を形成し、創造上のもっとも痛切な原則を討議し、国民の前に公式の責任を負うことを提案する。なぜなら、ほかならぬわが党こそ文学者の戦争責任という昨日も今日も新しい課題を追求すべき最大の光栄を荷っている部隊なのだから。

（一九五六年四月三日「アカハタ」一九三〇号）

辺境の眼は疑う

革命的ロマンティシズムの展開を願って

九州の西南部に引きこもり、自分の好きな田舎者に帰ってから七年になる。片手しかない漁師から海底の様子を聞いたり、たけのこや南瓜を常食とするきこりの娘の訴えに耳を澄したりしていると、我執の強い自分の心にも思いがけない縞目をみつけることがある。どこの家で会議をしても窓をひらけば歯ぶらしほどの麦畑はみえるというくらいのところに住む党員はしあわせである。このあたりでも一時は不平を売物にすることがはやった。しかし今では、まだ温度は低いけれども、黙々と古びた銃をみがく楽しさがよみがえってきている。男らしさが事態にかなう唯一の鍵であることをさとるまでに我々はかなりの銭を支払ったので、あのいやな金属音は少なくなった。ひとまわり年をとった樫の木の匂いがするようになった。

ただ私が少々変に思っているのは、党外はもちろん党内でも都会と田舎の調子はどうもちがうのじゃないかということである。我々がどんな立派な活動をしているわけでもないが、腰の落しかたがちがうような気がする。私は舞台裏の消息などに通じてはいない。そのようなものを知らずにすむことに感謝している。だが「前衛」文化問題特集号などを読むと、まるで檻のなかの動物たちの身上話を聞かされている感じがする。共産主義を特定の指導者の正誤に還元してしまうくらいこっけいな遊戯があろうか。むきだしの、あるいはさりげない自己弁護のかずかずはほとんど気の毒とでも形容するほかはない。AはBから、BはCから、CはAから傷つけられたと告発しあう堂々めぐり。こうなれば黙って耐えている者が一番の悪党であろうし、私は無言の悪漢の方を信頼する。むしろあくまで加害者として、すなわち工作する人間として、真夏の日ざしのように生きようとする決意がなんとも弱いと感じるのは私だけであろうか。相も変らず小うるさい引用、観念のはげ頭、ゆるみきった文体のお座敷で演じられる「裁判ごっこ」はもうたくさんだ。それはいま民衆の奥部をひたしているひそかに力強い流れに対して一種の無力感を告白しているだけではなかろうか。ただいまの日本の文化現象の中で何が最上級に大切なことなのか、それだけを語ればよいのだ。あれもこれもと言っていたのでは嘘つきのしゃべる真理に近づいてしまう。

正直なところ今日の党員芸術家の生活と作品がなにか一ケタ小さいという感じを私は持つ。器用で小心で博識の文章を読むと、世田谷・杉並あたりの小住宅、党本部や新日本文学会、それに新宿・銀座の酒場や、喫茶店といった風の「罪多き三角形」が浮んできてやりきれないのは何もショーロホフ発言以来の現象ではない。彼の発言は、わが国ではその歯切れのよさに賛成したり反対したりする趣きがあったけれども、やはりあれは地方に住む労働者農民の胸に美しく響くものがある。不自由な条件の下で戦っている者の夢をそそるところがある。自分たちの姿を描きたい、描かせたいという欲求の渦をもって、人々は自分たちの側の天才を待っている。ここのところをぜひ同志芸術家たちは軽蔑しないでほしい。創造の深淵を恐れないでほしい。

これまでの党の効用主義、政治主義に、損害を受けた。芸術家がビラはりなどの日常活動に追いまわされたと嘆く人がある。私などもとるに足らぬ詩人のうちに数えられたりするのだが、そんな人々はいったいどんな日常活動をやったのか。つまらぬ活動でもそこから何物も得なかったとすれば創造者として恥ずかしいことだとは考えないか。党員が日常活動をやらないのは、たとえ芸術家であろうが、むしろ変則な事態とは思わないか。日常活動に参加できない苦しみが潜在するエネルギーとなって噴出するような、そういう精神構造をあなたは持っているか。きわめて単純なところがはっきりしていない。いわばそういう創造者の気骨がうすれていたことが党全体を誤らせたという自己批判を一つすれば過去の党内文化問題はあらかた胴体をぶちぬいたことになると思うがどうだろう。

六全協のあとで筆を断つ作家の一人や二人は出てくるかと思っていた。とこそがこの「百家争鳴」だ。すすりなく良心のオーケストラだ。失望の味は敗戦直後の気分にちょっと似ている。もう一度、実にもう一度我々は根本から総ざらえしてみた方がよくはないか。党内芸術家のこのような私小説的姿勢を厳密に検討すべきではなかろうか。生活そのものが一箇のポエジイでありロマンであるという方向にふみだすべきではないか。でなければこれは真に新しいものとちがう。あまりにちがう。もちろん生活の改善は人間革命に直通するなまやさしくない作業だが、しかしトルストイも試みた。宮沢賢治も試みた。何物もおそれぬ共産党員の集団農場にできないはずはあるまい。

私の言いたいのは、ロマンティシズムを不義の子のごとく取扱う奇妙な習慣に反抗して、臆面もなく革命的ロマンティシズムをおい立てようということだ。乱暴な言方だが、もともとロマンティシズムなどという潮流は歴史的にもかくべつ周密な議論から起った形跡はない。そこに必要なのは原則性、血の凍るような原則性、それだけだ。

私は考える。戦争が終って一ダースの年がすぎた。この歳月の文化的意義とは何であるか。うまくいえないが、それは資本論を読みあぐむ牛飼の青年やシェクスピアを愛する電話交換手などという存在がおびただしく生まれたことにあるだろう。漢字もろくに知らなかった少年がいま数万の大衆組織を指導している。現代はそういう時代だ。これはやがてオーロラに驚くホッテントツトとか獅子狩の歌にきいるエスキモーとかへ到達する大展開の始まりであり、それと等質の事件である。大げさな例だと思う者には今日の壮大な悲劇がみえていないだけのことである。これらの若く新しく偏向にみちた魂に火をつけるためにわれわれの乾いたマッチをすろう。敵のマス・コミに恐怖する前に、味方の伝達路の発展をしっかり握ろう。理論が現実と溶けあって直観的な美の一撃に高まる可能性を信じない者がどんな典型を創造しうるというのか。

さて同志芸術家たちは生活上、行動上の卑小なリアリズムを棄てて、大胆率直に民衆の夢にこたえようというのが私の提案だが、今日の冒険家は決して流浪たえまないコスモポリタンの中にはいないだろう。「高度に発達した資本主義」日本の中枢部に肉迫するのもよし、すでに世界史の核となった辺地の名もしれぬ村の土壁から叫びをあげるもよし、いずれにせよ真の冒険は大衆の呼吸の上に身をかがめ、土くさいみずからの故郷と固く結合し、商業ジャーナリズムから潔癖に自立する一日一日の中にあるだろう。分りきったことながらそこを愚鈍の一念で押すよりほかはあるまい。我々はよく話しあっている。蔵原惟人同志も一度くらい阿蘇へ帰省していっしょに玉もろこしでも焼いて食ったらどうだろう。徳永直同志もこの間ちょっと帰ったというが、ゆっくり熊本県下をひと廻りする暇はないのか。堀田善衛はコシキ島まで行って「鬼無鬼島」を書いたじゃないかなどと。我々はまだこのような同志たちの活動を支える充分な力を持たないが、ある程度のことはできるつもりである。党機関もこのために暖い配慮をすべきである。

現在サークルの壁といわれているものも、実体はあんがい〝革命的芸術家〟に感染した病気なのだと私は思っている。われわれが生活の改造に一歩ふみきるならば日本文化の「東京ぼけ」は少しよくなるのではなかろうか。

（一九五七年四月二九―三〇日「アカハタ」二二六三、二二六四号）

現代詩の歴史的自覚

戦後意識の完結をめぐって

一

しょせん文学は個人による未知の領土の占有であるか。私は見た、通りすぎた、感じたと大声をあげている言葉に、私はもうあきあきした。たぶん自分が繰返してきた狂態にはやくも愛想をつかしているのである。数十の詩篇を吹きちらしただけで自分にげんなりするとは、精神の菜食ごのみにすぎないかもしれない。しかし私の生理などはどうでもよい。

――女の運命はあんまり偶然に支配されすぎています。女があなたにお会いするのはみな早すぎるか遅すぎるかです。そうしてうまくあなたのところへ行けた女にしろ、本当に一番楽しかったはずの時にあなたを自分のものにすることはできません。自分ではいつでもいいつもりで、「今だわ、今だわ……」と云いながら、待っても無駄なのです。……一体こういう何の役にも立たなかった時間は誰が拾うのでしょう。ときどきわたくしはこの世界の裏側にそういう時間を溜めておく場所があって、そこに時間が清らかな水のように滴ってくるのを、死人達が幸福になるために飲むのだと思います。——

これは「アニエス・テスト嬢」の一節だが、ちかごろ私はこれとそっくりの訴えをしばしば耳にする。もちろん「あなた」は私ではない。単数の男性でもなければ、性を捨象した革命でもない。女たちに言わせれば、「私の半分ではなく、私の全部。そのなかに私がすっかり消えてしまうような、もうひとつ大きな私。」とでもなるのであろう。テスト嬢によれば、「他人に権化した自分自身の完成と出会う」ことである。

女性論を展開するつもりはさらにないが、どうやら私も彼女たちに似た欲求に駈りたてられる始末となった。たとえば表題に関して編集者は「現在の詩が過去の詩とどう違うか」を求めているけれども、個人の旗を立てる競争という点からいえば両者にそれほどくっきりした差があるだろうか。過去も現在も究極のところ、ばらばらの個人世界に分離してしまう空しさを編集者はどう考えているのか、むしろそれを聞きたいくらいだ。私が当代の詩の群をいささかなりとも「他人に権化した自分自身の完成」と見ていないのは、まさに私が女たちと同じように「待っても無駄」だと思いながら、待っているからである。他人と分離する必要のない世界をである。私が求めているのは、感覚のコルホーズだ。とすれば、現在のばらばらそのもののなかにある脈絡を探るのも、その目的にとって無意義ではあるまい。一匙の塩にはなろう。

さまざまの矛盾をはらんだ世界を一点に凝縮させてみることができるかどうか。詩という文学形式はこの問に対する「イエス」を土台にしている。今日、現代詩の問題をあちこちの雑誌や評論家があまり気乗りのしない顔つきでとりあげた潜在的な理由もここにある。日本と世界の進行方向が逆さまになり、日本の前衛が自己のイメージを解体させたかにみえるとき、はたして目下の現実を一点にしぼることが可能であるのか。可能だとすればどんなものであるか。凝縮によってマキシムに達した矛盾の圧力が見られるものなら、それを見たい——とりあげた者の主観はどうでもあれ、詩が古今東西にわたって芸術の前衛である本質が、詩の内外にあるコンプレックスを屈折して、そこにかすかな影を投げている。一言にしていえば、政治的前衛のかわりに芸術的前衛が求められているのだ。詩は盗まれるものだ。欲しいくせに欲しいとは誰もはっきり言わないのだ。私が女たちに同調するゆえんであるが、もとよりこのような要求を現在の詩がみたしうるはずもなかった。小説などよりもはるかに早く、詩は開高健や大江健三郎の世界を歩いていたのである。逆説を弄すれば、詩はさっさと自分の荷をなげすてて身軽になっていた点でまことに前衛らしい機敏さを発揮した。軽い前衛性、つまり後衛の精神をいちはやくわがものにしていた。だから加藤周一のような評論家が自分自身と同じ軽量級の相手として、現在の詩人たちをすこしからかいたくなったのも憎めない心理である。なぜなら彼はそこに自分自身を発見したのだから。けれども彼がつい調教師のような身ぶりで鞭を空にふって見せたのはまずかった。詩の前衛性を認めることでは君たちよりもずっと自分の方が重い——といつものようにくそまじめにいえばよかった。

二

世界を凝縮することがむつかしくなった。そこに問題の発生地点がある。だがそれはどうも詩人の無能のせいではないらしい。戦後の十年を単一の主題でつらぬいてきた戦争に対する反作用のエネルギーは、泥土と悪臭をのこして沖へ消えたかにみえる。大いなる力は終ったのか。すくなくとも、なまなましい直接性は衰えたかにみえる。このことの意味はそれがやってきたときと同じように重大である。われわれは小刻みな段階を作るのが好きな種族だから、たちまちここで反動期だとか、安定期だとか新たな高揚期だとか、気象台の技師たちの議論みたいなものが氾濫するけれども、まことに日和見主義とはかかる景気観測の名人たちにあつらえられた言葉ではあるまいか。なるほど主題を支える土台のところで、その梢のあたりに秋が来たという感じがしないでもない。けれども土台のなかの土台、根の部分となれば、それがいったいどう変ったというのだ。もちろん主題は解決していない。詩の主題は解決していないが、意識の土台は移った、だから主題を変えようというわけか。むしろ意識の主題が解決していないのに意識の土台が移ることこそ、世の中が変っていないことの証明だと主張すべきではないか。変化の相に不変の質を見、不変の相に変化の質を見ることが詩人の仕事であるとは万人の認めるところであろうと思うが、私はどうも現代詩が変化の相に変化の質を探しているような気がしてならない。

変化の相からいえば、現代詩も変ったものだという感慨があながち見当はずれなわけでもなかろう。戦後の詩らしい詩はたいてい五〇年から五五年までの期間に書かれたと思う。それはなぜ詩でありえたか。——現実と意識が一致して進歩の黄金律を奏でているかにみえたとき、四五年から四九年にいたる時期は未来への願望を暁闇のなかで歌っているのか、黄昏のなかで歌っているのかを区別することは非常に困難であった。なにしろとてつもない明るさが嘘だということははっきりしていたが、暗さもまた嘘であった。それに詩人たちはまず自分の舌を過去の料理で調律しなければならなかった。言葉は奇妙なピアノだから、外部の熱狂や沸騰にあわせてすぐ自分のオクターヴを高くしてしまう。競馬の法則とおなじく、前半を抑えた馬が勝ったのである。岡本潤や壺井繁治はそこをすこし飛ばしすぎた正直な馬かもしれないが、いずれにせよつまらない話である。今からみれば、当時の作品になにか新しい質を持っているものは見当らない。強いていえば、集団に向ってとろうとしている主観的な責任が客観的に成立しがたい、そのところを叙情のセメントで固めるていのものがあるにすぎない。だがそれは宮沢賢治や中野重治がすでに歩いた道である。

五〇年になってやっと何かが分裂した。朝鮮戦争と共産党の分裂によって、かろうじて詩人のうちに「同時代人に対する社会的責任」の手がかりがうまれた。詩はつぶやきでもなく、叫びでもなく、対話でもなく、そしてもはや未来へのよびかけでもなく……今日の渦を生きている自分と渦との闘争になった。賢治や重治が見出せなかった、此方の岸で闘うべき相手を詩は発見した。言葉を変えれば、はじめて詩人は集団と傷つけ、傷つけられる相互関係を持ったのである。詩はかすかにも加害者の位置を獲得した。それまで詩人たちは外部世界から迫害される者のようにふるまってきた。だがそれは単に世界から疎隔されて無縁であったというにすぎない。黒い犯人だとか爆弾だとか強がってみても、いつも爆破されるのは詩の方であった。自爆よりほかに手のなかった詩人たちがその詩とまっすぐに結びつけた世界観のゆえに首をきられたり、除名されたりするのはまことに痛烈な壮観であった。もっとも一篇の詩のゆえに牢獄に入ったという話を聞かないのはすこし物足りない気もするが。

だから私は戦後詩の特徴を次のようにあげることができると思う。第一に同時代への感覚。これは戦後はじめて量的な左翼が形成されたことと切離せない関係にあるだろう。第二に加害者としての受難。敵から傷つけられるばかりでなく味方からも傷つけられる恐怖、そして自分自身も味方を傷つけるかもしれない恐怖がはじめて詩の内側へ入りこんだ。第三に感動の普遍性に対する不信。これはあとですこし触れたいが、内部と外部ではなく、自己の内部そのものが分裂している事実に根ざしている。第四に規範の崩壊もしくはその裏返しとしての伝染力のすみやかな速度。

みずから選んだ道で自分が傷つき、その痛手に叫びをあげようとして、ふとその浅さにおどろく。真の傷とはその浅さだったのだ。はじめて彼の心をゆっくりと絶望が蔽ってゆく……こんな風に、それはやってきた。まるで自分が被害者であるかのように軽やかに。

三

五五年夏、共産党の六全協決議が発表されたとき、人々は何かが終ったことを告げる鐘の音を聞いたのだったが、それはこういう風に言っているようだった。——戦後の巨大な熱狂がかえって意識としての戦後状況の展開を妨げた、と。ほぼ同時刻に進められた吉本隆明の戦争責任論は詩の領域における六全協とでもいうべき判決となった。さすがに詩人は俗流大衆路線だけでなく、それに対立した者の俗流的本質を裁いたかにみえた。この瞬間に十年間の「戦後軍国主義」とでもいうべきものが断罪され、かなり純粋な形で戦争意識が完結したといえる。だが六全協も吉本もすでに衰えつつあったものに有罪宣告を発したにすぎなかった。彼等が変っていないことは証明したが、彼等を変える道は示せなかった。変化の相に不変の質を見たが、不変の相に変化の質はみつけださなかった。だから「二度とあやまちを繰返さない」という原爆碑銘のような道徳論が発展し、批判の自由すなわち行動への懐疑となり、懐疑は泡のように立ちのぼって今日の後衛ばんざいとはなってしまった。もちろん私は今日の文学現象のすべてを六全協や吉本のせいにするのではなく、むしろそれらが来るべくして来つつあった社会現象に反抗することのすくなかった点、いささか資本の潮流に乗った感のある点を惜しんでいるのである。もし吉本が——壺井・岡本がむしろ意識的に変ろうと欲していない面を攻撃し、欲しないままに変らざるをえなかったところに彼等の沙漠の単調な無気味さを見たならば、それは壺井・岡本だけでなく吉本自身をも変えたのではあるまいか。なぜなら転向だの再転向だのと何の縁もない大衆の作品に今なお壺井や岡本の詩とそっくりなものがざらに見つかるからである。壺井・岡本がどうなろうと、彼等を変えなければどうにもなるまい。かつて私は鮎川信夫への手紙に、「荒地」の詩はすべて生活の倫理なき倫理であり、吉本の詩だけは生活なき生活の倫理であると書いたが、彼にも六全協にも欠けていたものは場の観念だけでなく、場そのものであった。

ある意味で両者は、過去に幾度も繰返された知識人の民衆に対する闘争宣言、その倒錯した側面的な正しさを立証したにすぎない。両者がそれぞれ戦後共産党の家父長制や庶民意識を攻撃したとき、前面にあったものは戦後にひきつがれた意識下の軍国主義であったにもかかわらず、いずれもその客観的根拠を分析することを避けて、せっかくとりだした「戦争」を合理主義のちり箱にほうりこんだのはなぜであろうか。

――農村では、たとえば生産手段である農地や家畜まで財産視し、社会的地位の標識として考えられている。そのため家畜など値が下ってくると売払い、値が上りだすと購入する。経済的にみればこんな馬鹿なやり方はないのだが、農村の現状からこんなやり方が社会的合理性をもってくるのです。

これは阿蘇地方でわが朋友たちがやっている同人二百名の地域総合雑誌「阿蘇」(五八年五月号)〈農村における公明選挙は如何にして可能か〉という座談会から抜いたものだが、吉本の合理主義とこの農民たちの不条理な合理主義と角力をとらせたらどちらが優勢であるか、私ごとき工作者でも骨身にしみて知っているのだ。おそらくそれは代数と微積分の勝負とでもいったらよいものである。庶民意識の中間性を攻撃するというのなら大いに賛成だし、壺井や岡本を槍玉にしても悪くはないが、どうも槍先が知識人の方へすべったのは解しかねる。なぜ庶民そのものの内部を突かないのか。それによって「戦争」からエネルギーを汲まないのか。戦時民衆の「軍国主義」に戦後民主主義の母胎を発見することで、日本の抵抗運動の不連続性をうち破らないのか。昨秋、鶴見俊輔にその趣旨を話したら、危い橋わたりだな、と言った。危険のない変革など私は考えたこともないので、微積分の講義はそれくらいでやめてしまったが——意識の時間と外部の時間の分裂は吉本批判以前に前衛詩人を動かしていた主題であったし、それはみずからの「内部の頽廃」をぬきにしては歌うことのできない性質のものであった。吉本は一応その決算書を作成したが、そのとき自分自身の頽廃、敵をうったために欠くことのできない頽廃を外へ追出してしまった。この瞬間に、日本の詩史は戦後意識を完結させ、自己の重量を減らし、知識人の自己運動のなかに閉鎖し、戦闘を一時停止させる風にはたらいたと私は考える。

さきごろ私は四面にボタ山がそびえている炭坑町の夜をあるいていた。ふと異様に活気のある兵隊靴の行進のようなリズムが大きな倉庫を改造したダンスホールから流れているのを聞いた。陥没池の臭気をふみにじるように、それは飢えて怒っていた。或る労組のブラスバンドが内職かせぎでそこへゆくうちに、なかば専属化してしまったのだという。他の労組でもバンドをという声があるが、あれの二の舞をやられたのではと首をかしげているらしい。ともあれ、私は石炭の粉まじりの霧にたたずみながら、脅迫するような打楽器を聞いているのが快よかった。ひさしぶりに戦闘の感覚をとりもどした。この労組の文学サークルでは、谷川雁がきたら腰の骨おっぺしょってやるといきまいているというので、勇んでいってみたら、皆芝居を見にいっていて、肩すかしを食った。兵隊靴のリズムはまだ消えていないことだけを報告しておく。

四

文学戦線の紐帯がゆるんだ、世界がつかめなくなった、後衛の姿勢がはびこった、詩はその先頭を人力車夫のように走っていった、という事実の一次的な原因は詩だけの領域にあるのではない。しかし、戦線内部の頽廃に対する攻撃が大衆の重い意識を避けて舵を上にとったとき、それを許したために起った失速飛行の責は私なども負わなければならない。戦後詩の特色が被害者としての傷の共有による同時代意識と規定されそうな傾向に反対していうのだが、それはこういうべきなのだ。みずから選びとった加害者の位置で受けた傷の浅さからうまれた同時代意識。だがこの加害者たるや、多かれ少かれ私のような半知識人であった。手傷を負ったインテリ、これは見方によってはまことに美学的なテーマであって、ややもすれば思想と行為の荒々しい抱擁からすりぬけやすい主題である。美意識の固定化、様式化が一まわりすんだあとの分解過程——これが詩の現状である。

私はこの解体がすぐさま何か新しいものを生みだすとは思わない。なぜなら尨大な意識と下意識の分野が置き去りにされているからだ。私はいま南九州の貧農と北九州の労働者の間に暗く、まぬけた土管を埋めてエネルギーを流そうと思案しているのだが、あちこちの文学集団を廻ってみていまさらのように感じるのは、日本の大衆の沈黙というやつは一筋縄では顕在化できないということである。現在のサークルはいわば中間性の見本みたいなものだ。彼等の中間性を打破って、舟底に穴をあけ、深みへ沈めようとして攻撃する。すると彼等は自己否定の苦痛をまぬかれるために、たちまち賛成者の側へ廻ってしまう。あたかも吉本批判に同調した知識人たちのように。その際、彼等に上げ舵をとらせている根拠は私の経験の私有的性格である。雨だれにうがたれる火山灰地のように、一箇所にかすかなエネルギーの集まる癖がつくと、そこだけに深い条がつき、穴がえぐられていく。とどのつまりそれを私したいとは念じていない人間の意志に反して経験は集中し、感覚は堆積し、足もとのくぼ地で固形となる。恐るべきことに十数年の歳月は私のような工作者にもそのような空洞を作ったらしい。たとえ精神の領域であろうとも、ただひとり所有することは名誉でもなければ価値でもなく、まさに本質的な悪であることに気がつかないなら——民主的な文学運動の必然性は存在しない。私有こそは欠如である。それが避けがたく起ったとしても、それをたやすくわが陣営の共有財産と言い変えるべきではない。避けがたい経験の占有をつねに大衆へ向って開放しようとする衝動、そこに工作者の創造契機があるはずだ。

私が失うときに彼等は得る。しかし私が何よりも得てもらいたいのは工作者が意識の深部の方へ自己のエネルギーを開かなければならない必然性であるのに、彼等はそこを避けて得ようとするのだ。自分の私有地を増殖しようとするのだ。いわば私がやむなく占有している部分を彼等は私有しようとする。そこで私は彼等を横眼にみながら、次の陣営に迫る。今度の相手は集団のなかで黙々としている連中だ。むっつりと坐っては、一言もいわずに靴の紐を結んで帰る部分である。私は饒舌で、彼等は沈黙で渡りあう。沈黙はいやらしいくらい雄弁な表現法だ。けれども残念ながら私が自分の刃物で彼等を刻みはじめると、彼等はじりじりと後にすざってゆく。いそぎんちゃくのようにしぼんで、冷ややかな塩水の一滴を吹きだす。おもうに彼等もまた何かを得ようとしてやってきたのに、私が失うことをすすめたので、驚いて自分をとざしたのである。――ついに君たちも感覚の五反百姓であるか。小所有者、小生産者の限界を破りたくないのか。自分の畑に他人が鍬をいれはじめたのを発見すると、あわてて柵を繕ろう者であるか。そのとき自分も鍬をとって共に耕そうと駈けよってくる者はいないか。――どこか伊藤律の農業政策めいた空想をたくましくしながら、私は鍬一丁持たない作男たちの世界を探している。

五

戦後詩の貴重な経験――それはただひとつしかないように思われる。吉本隆明が指摘したように前衛詩人の内部が分裂していることの発見である。けれども吉本は自己の分裂を放棄して、その地点から上ずった道徳的攻撃を加えた。むしろ我も人もその内部が分裂していることを認め、その断層のはざまでもがくことに唯一のエネルギーを求めるべきであった。もとより責任をあいまいにしようというのではない。大衆の混沌たる深みから打たなければ蚊のような知識人の一匹すら血を流さないのである。したがってまた、吉本が提起した命題の決定的転回こそ現代詩の課題であろう。

われわれの内部は分裂している。その枝の延長上には日本の前衛と大衆の分裂がある。それは論理と感性、意識と下意識という風に上から下への片道通信で処理される性質の分裂ではない。意識の高さがしばしば意識の軽さにほかならず、低さが重さに比例するような相関関係があるのだ。吉本がいうように、庶民が人民になり、人民が前衛になるという昆虫の変態に似た論理で一方的に律しきれるものではない。それは根底において人間侮蔑の思想をふくんでいる。われわれがもし正の記号を持つ工作者であるならば、負の記号を持つ工作者が沈黙している大衆の底部にいるのだ。私有を離れようともだえながらなお不可避の占有を拡大している者に対して、私有の形式では絶対に所有することのできない者が存在する。私はこれを「原点」と呼ぶ習慣であるが、前衛と原点の結合、ここに回路を建設するものこそ工作者ではないか。中間性に苦しむ現在のサークルその他の成員もまたその中間性におのれの地獄を見るならば、その位置から工作者の有力な一端をになうだろう。

われわれは待たれているのだ。待っても無駄だと心にくりかえしながら、待つことよりほかにない者たちによって待たれているのだ。そこに、もうひとつ大きな私を見るために、獅子が蚤を打つように、いや、蚤が獅子を殺そうと決意したときのように、樹木ほどにみえる毛のなかを歩いてみるがいい。

（一九五八年七月「新日本文学」）

毛沢東の詩と中国革命

延安洞窟内の毛沢東——そのイメージは現代史のなかで、つまりさまざまな技術の発展で表示される文明の蚤の市において、爆発するような力をもって孤立している。どのように歪曲しようとも、彼から荒野の聖者というまぼろしを引きだすことはできない。彼は文明の真の焦点を東洋の無名の町や村々の土壁に築いた人間である。老子がするどい弁証法で無の概念を駆使しつつ描いて見せた、ほとんど微積分の原理に近い価値転倒を、彼はまさに黄河の源で演じつくしたのである。もし三国志その他にあらわれる古代中国の英雄豪傑を彼とくらべようとする衝動を否定しないとしても、彼がその誰にも似ていないことは明らかである。世界史のあらゆる顔と彼ほどきっぱり訣別した人間はいない。だから彼は未来のなかに繰返しあらわれるだろう。いや、毛沢東のような人間だという形容詞はもはや二度と正確に使われるあてはない。彼は現代文明の中枢が多元でありうることを証明したのだ。したがって彼以後の人間は辺境こそは首都であるという命題を一箇のア・プリオリとして持たされている。それを否定する者は永久に中国革命と無縁である。

彼は詩を好み、みずから書く。魏の曹操のように――。彼自身歌っている。

経りにし千年の昔
魏の武帝ここに遊びて
東臨碣石の詩篇をとどむ
蕭颯たる秋風は変らざれど
ここに立つ人の替れるよ

「北戴河」

別に変った発想があるわけではない。昔から中国風の感慨はいつも自然は堅固だ、人間は空しいと歌って人間臭をむきだしにした。だが彼はなぜ武帝などを引きあいにするのだろう。彼にしてなおかつ個人的英雄主義が残っているのか。――そういう不安を抱かせるように彼はみちびいていく。だが「ここに立つ人の替れるよ」などというのはむしろ日本人好みの翻訳調であって、原詩は「換了人間！」という四字なのだ。人間は変った！　おれとおまえはもう同じ人間ではない！　彼は武帝に対してそう宣言したのである。最後の決定的な嘲笑の一撃……それまで彼は黙々と敵の手法に乗っていく。

豪雨は古代幽燕の国に降り
白浪天を洗い　海は茫洋と煙って視界なし
秦皇島外に網うつは　そも誰ぞ

といったぐあいである。これは八路軍の戦法だ。理解できない者は日本帝国陸軍の参謀なみの頭脳と思えばよい。

だが私は彼の詩を七篇しか読んでいない。そのうちで面白いと思った「紅軍は恐れず……」という行から始まる大長征を歌った叙事詩風のものと、抗日戦後国共和平のため重慶に飛んだとき機上で作ったという「ジンギスカンはこのあたりで鷹を獲たが」といった句のある作品が旅先のため手もとにない。あるのは九州大学から借りた『文芸学習』五七年三月号の「黄鶴楼」「六盤山」「崑崙」「北戴河」と五八年二月号の「蝶恋花」五首である。中国語の素養もなく、これだけの材料で中国革命にまで論及しようとは、まことに歴戦の紅軍兵士も首をひねるような大胆不敵なしわざである。しかも相手は「調査なくして発言なし」という原則の鼓吹者であってみれば、さしずめこちらはだらしなく髭をのばした地方軍閥の大隊長のような心理にならないでもない。しかし詩に関するかぎり、私の方が彼よりも強く深く彼自身をつかまえることができる。そういう平凡な自信すらなくて、雄大な革命家と強烈な革命との詩的関係についてどうして発言できようか。

あたりまえのことをわざとらしく言わねばならないのは、彼の詩をめぐって批評らしい批評が全くない気がするからである。たとえば『文芸学習』五七年三月号の臧克家の解説などは意境が幽深だの、想像が奇突新穎だのとまるで文人画の同好者を説得するような調子で述べられ、そのおしまいに毛沢東が「旧詩体は思想を束縛するから青年には向かない」と言ったことを引用して、「これは至理名言だ」と結ぶのだから、やりきれない。何ゆえに青年に向かない旧詩体を毛沢東が選ぶのか。自分はもはや老人だから仕方がないが……といった長屋の隠居風の論理にあぐらをかく男だとでも思っているのか。長江鉄橋の完成を記念して漢口附近の揚子江を青年たちと競泳して往復したというのは去年だったか、一昨年だったか、いずれにせよ彼の精気は詩のなかでも光っている。それが旧詩体に拠ることの秘密を作者よりも深く追求しうるのでなければ、批評家としてペンを折るべきではないか。何のために魏の武帝に献じた方がふさわしいような大時代な評語だけをつらねるのか。

批評家だけではない。五三年刊サカイ・トクゾー訳篇『中国解放詩集』は約六十篇のうち、毛沢東そのものを主題にした作品が約十五篇もある。翻訳も粗雑ではあるが、それにしても残念ながらそのほとんどはもはや断罪を受けてしまった官僚的な讃歌に毛が生えたようなものである。かろうじて私は

お山はマッ赤、日がのぼる
救いの星は毛主席

アンズもモモもみな咲いた
おいらを立たせる毛主席

三本道のまんなかを
おいらと手を組み毛主席

水のまんなか、ハスの花
おいらの胸にゃ毛主席

（「毛主席をたたえる」徐秋風）

といった、チャイルド・ブックめいた数行に流れている血を感じた。むしろこのように毛沢東の人格や行動には何も触れず、色彩のかたまりだけで表現した方がまだしも彼の底部に沈んでいるものへ接近することができるだろう。しかし、こんなに安定した絵本のような詩よりももうひとつ愉快なのは、作者名がなく、チベット民歌というやや眉つばのレッテルをはった一篇だった。

その一部を抜くと

寿命は金剛の岩のよう
——ああ、おまえさま、毛主席
こころは如意の玉のよう
——ああ、おまえさま、毛主席
ああら、たのしい、シューラシュー

……………………

そこぬけ　たのしめ
おどれや　うたえ
なんの不思議があるものか
共産党は戸をひらくカギ
さあさ　おはいり　ここ天国
ああら、たのしい、シューラシュー

「シューラシュー は一種の曲調」などと分るような分らないような訳註がついているが、そんなことはどうでもあれ、日本中どこにでもある「祝いめでたの若松さまよ」といったものである。

なるほど、チベット民歌とでも呼ばなければほかに名づけようもないしろものであるが、牛や羊の糞にひとしい位置にあった民衆が如意の玉のようなこころなど知るはずもないから、てっきりこれは家畜の糞とあまり無縁でないラマ僧かなんかがうやうやしく、かつはとりあえず捧げた来客用の坐布団のごときものであろう。だからこのような作品を読んで、何がいったい変革されたのかと吉本隆明風に懐疑する者が続出しても「なんの不思議があるものか」である。一見して明らかなように、これは民衆の中間性、または中間的な民衆をあらわすものでしかない。けれども、この中間性が庶民意識のすべてではない。それは同時に下方の領域を暗示している。

この詩が言おうとしているのは唯一つのことだ。それは数千年来の自分たちの夢がもしかすると本当に実現されるのではあるまいかという予感である。彼はすでにそれが確実なように表現している。だがそれこそアジア風の懐疑の一形式であって、もし夢が夢でしかなかったらという不安と共に、本当だったらどうしようというおびえまでふくまれている。彼は古い呪文のような観念の鎖で自分の動揺を抑え、きっぱりと断言する。けれども彼はなにひとつまともな言葉で内心をあらわすことはできないのだ。彼の足もとにある牛糞のような者たちはまだ自分たちの精神の核を自分たちの言葉で表現するすべを持たないのだから。彼は屋根にすぎぬ。その下は暗黒だ。夢をもつという、その所有の形態が定かでないのだ。彼等は私有を求めるか、共有を求めるか——その分岐点こそは革命の真の十字路である。もし右の作品が私の推測のように下級のラマ僧といった貧しい知識人の手になるものであれば、彼の観念の真の所有者は昨日の支配階級であり、彼はいわばその占有者であると言える。本来は民衆生活を母としながら幾千年のうちに支配者の手で組織し整備された古い理想がゆっくりと解体され、故郷へ回帰すべく下降する過程で、それは当然に一種の媒介者の体内をくぐらなければならぬ。そのゆきつくところはしょせん東洋の共同体の連帯の感情であるということは私が繰返している主張である。

だが中国でもまだ民衆は思想の核心を顕在化しないで表現する発想法を棄てていないようだ。果してこれが西欧的な合理主義とどのように衝突し包摂するかは文学における中国革命の総決算となるだろう。革命が中国で見事な勝利を得た最大の原因は、工作者たちが空しさに耐えつつ、民衆の沈黙のなかにある共同体的感情の秘密の外壁にとりついて離れなかった執拗さにあると私は確信する。そのために必要とあらば、日本ではたちまち首をすくめてしまった「俗流大衆路線」をもう一歩押しつめて完全な効用主義に身をさらすことも恐れなかったのだ。けれども、いまのところ工作者たちは「私も民衆のひとり」という姿勢に疑いのメスを入れないで歌っているようにみえる。それは権力闘争のさなかでは必要でもあり、有効でもあった態度であろう。しかし主題はいまや「人民内部の矛盾」に移った。中国の詩も当然に一つの転機を迎えているにちがいない。

毛沢東の胸中に秘められているのは、この不条理にみちた、強力な、古い共同体意識をいまようやく革命が包囲したにすぎぬという認識ではあるまいか。彼は「新しい」詩人たちよりもはるかに事態を甘く見ていないだろう。彼は工作者の頂点から民衆の奥部に至る距離を測っている。

おそらく文学における第一義の戦闘主題を見失って「シューラシュー」と短絡（ショート）している詩にもっとも苦がさを感じているのは彼なのだ。彼の詩は古い形式をとることで「巨人の遊び」とでもいうべき覇気と茶目っ気をまぜあわしている。そこには「上から」石を投げるほかはない人間の、語られることのない尨大な或る物がある。

「崑崙」

而今　我崑崙に向いて謂わん
かくも汝　高き要なし　かくも汝　雪ある要なし
安んぞ天の一角に倚って宝剣を抜き
汝をとらえて三断せん

崑崙山脈は彼自身でなくて何であろう。「おまえはそんなにも高くそびえ、そんなにも厳粛な雪を積らせている必要があるのか。」このひそかな指導者の歎きを聞かない耳は詩人の耳ではない。敵さえも彼の業績を認めざるをえないとき

千秋の功罪かくの如きを
誰人か曽て評価し得たる

疑うのは自分ひとりという寂しい笑いをひびかせながら、その感傷をふり捨てて彼は自分の崑崙山をたたき切ろうと刃をとぐ。それはほとんど理性によってなだめることのできない狂暴な衝動である。しかし彼はたちまち自分を抑えて平静に帰る。

一片は欧州に与え　一片は米州に与え
一片は中国に留む
太平なる世界とは　なべて寒暑ひとしきくに

なんというもっとも至極な解決。私はすこしがっかりする。けれども彼はまたも棘を残して置くことを忘れない。ヨーロッパとアメリカへの不逞な闘志を。このちらと横に走った眼光はもう詩人のものではないから、その瞬間に私と彼の立場はいれ換ってしまう。だが「六盤山」のように一直線に抗日戦の勝利へ向う意志を歌うときも、私は彼の高く打つ心臓の音に伝えられぬ、語られね孤立を聴く。

天高く雲淡きところ
南行の雁は空を断つ

長城線に達せざれば好漢に非ず
指を屈すれば行程二万里

そこにはまたかすかに西域の感覚、異族の匂いがする。言葉の内容よりもむしろ文字の配列といったものに私はそれを感じる。彼は周到に古い詩形式が誘いやすい中華思想の事大主義めくものを排除しようとつとめているのではあるまいか。多くの絃を持つ琴の、一本を強引に断ち切って歌うやり方だ。彼はそこで故意に調子を破り、伝達しないものがあることを伝える。東洋の無から未来の芽を伸ばそうとして……。

しかし、それは或る意味で言葉の芸なのだ。古典的な形式に対する知識と共感のうえではじめて成立する技術なのだ。青年はそれをのり越えて進むより、正反対の方角から生活のもののいわぬ核心を顕在化してほしい――毛沢東は自分の詩と全く拮抗する方向性をもった詩を求めてそう言ったのだ。二つの方向が正面から衝突し、交わって新しい詩が生まれる。そのためにまず自分から戦を挑んだ。『詩刊』創刊号に彼が十八篇の詩を送ったのはそんな心組みからであろう。偉大な革命家が作った古くさい形式の詩……われわれがどんな反応をこれに示さねばならないか、アジアの芸術一般にあてはまる問を彼は提起した。「楊柳軽颺」といった趣きの、なかなか皮肉な通信法である。

（一九五八年六月「現代詩」）

IV

昭和十八年秋の音楽

創造とは命がけの模倣のことだろうと思う。ダ・ヴィンチが歩んだ道、デカルトが歩んだ道、雪舟が、武蔵が、芭蕉が歩んだ道をもし自分が歩くならばどうなるかと試してみることだろうと思う。私は凡人だから、しろうとにすぎないからといってみたって、いま私達を圧迫している思いが少しでも軽くなるものではない。天才は天才だけに通用する特別の道を作ったのではない。その気になれば誰でも登ることのできる道を断崖の土に切開いたのだ。そこで天才によって開かれた道を自分なりに歩いてみようとすれば、おのずから生活は一つの響きをなすだろう。

私は命がけと云ったが、「いのちを賭ける」とはそもそもどんなことか。何俵かの麦を無事にとりいれるか、ジェット機の下敷きになって命を失うか、というような賭け方を指すのか。いやいや、それではどちらに転んでも人間としての生命をみずみずしく豊かにふやしてゆくことにはならない。就職できずに飢えるか、魂を売りわたして就職するか、というような賭けは私のいう

「いのち賭け」ではなく、動物としての「胃袋賭け」であるにすぎない。死か、奴隷か、という賭けの無意義、そこに現在の私達の悲劇がある。

ここで思いだす。昭和十八年秋の或る日、東大法文教室のひとつで鳴り響いたベートーヴェン・第九交響曲は学徒出陣の壮行を祝うためと掲示されてあった。日響の演奏、尾高尚忠の指揮。……問題はもはや「ベートーヴェンか死か」ではなくなっていた。前方には死と壊滅しかなかった。だからこそそれは栗鼠のような瞳をした若人たちをよろこばせた。だからこそ日本人流のドイツ語で歌われるベートーヴェンは美しかった。激しかった。そして学生達の死は空しかった。

私は生き残りの学生である。私は力をこめて一昔前の秋の日について報告せねばならない。――そのときはもう遅かった。死か奴隷かという賭けさえすることはできなかった。前途はただ一色の死であった。私は文学部社会学科の壮行会で演説した。「たとえ奴隷になっても寓話ぐらいは書けるだろうではないか。イソップは奴隷だった。」だが拍手した学生達の半数は帰らなかった。

忘れてならないのは「死か奴隷か」という馬鹿な賭けは「いのち賭け」の数には入らないということである。ほんとのいのちがけは私達が創造者になるか模倣者に終るかという美しい、人間的な賭けである。だから私達が「自分の運命はどうなるか、いかに生きるか」という疑問をまっしぐらに見つめているかぎり、この地上のすべての美しく良きものは決して死絶えることはない。私達を離れて祖国はない、進歩はない、美と天才と平和はない。それは一切合財私達の不器用な掌のうちにある。いかなる賭けも許されなかった昭和十八年秋の最後の学生のひとりはいつまでも若いあの幽霊たちに代ってつぶやく。昭和三十年八月十五日のみもしらぬミズマの母親、若人、子供らの前で頭をたれてつぶやく。

……命がけとは自分を安売りしないこと。創造とは平和としあわせの堆肥になること。それだけのことがどうにもならない時があるのを忘れないでくれたまえ。

（一九五五年八月　「交叉点」三八号）

森崎和江への手紙

耶馬台国の虹！　この半年断続した私たちの文通は、この世に公明にして奇怪な関係が存在することを告げました。浜辺に住む傷だらけの節足類と清らかな野の夫人がその育ちも境遇もよく知らぬままに倫理上の生硬な見解をとりかわしてきたという事実は、現代の生き難さを背景に置いてはじめて理解される対位法でありましょう。だがこよなく薄い詩の冊子からたちのぼった友情は決して微風のように往き来しませんでしたし、便りを認める毎にほとんど嫌悪に似た思いを嚥み下さねばなりませんでした。貴女の側からは書きなぐりの書体が帰って来ました。繊細さを隠すための荒っぽい表現が。

恋文を書く青年の困惑、とてつもない荘重さと音階の狂った軽佻さの間をさまよう動揺が私の場合にもつきまとうのでした。若くもなく老いてもいない男女の会話、既婚の男女の内的な友情を表す語法……これはわが国語のまだ達成していない領域ではありますまいか。労働者、農民の夫婦にさえ永遠に平行して行く対話の調子をみつけるのはたやすいことです。でも家父長と家内奴隷の威儀と感傷をもって語るべき何物が私たちにありましょうか。会話の民主的で冷ややかな形式、これは絶対の条件でした。苦しまぎれの粗暴さに対してはいつも女らしい疑問が執拗にも悲劇的な雄々しさで書きつらねてありました。私が叡智あふれる井戸端会議の口角泡をとばす戦闘的な一幕を描きだして、貴女の生活の焰の弱さを思いしらせようとするとみるみる貴女の顔が曇るのが見えました。

魔除けにでもするみたいに私はホイットマンの一句を胸の奥でくちずさみました。「彼女等の筋肉は古くして聖なる柔軟と気力がある……」すると丸山豊の客間の高い天井からひとつの鍵が降ってきました。氷雨にぬれて貴女の唇は色薄かった。口惜しそうに、嚙みしめるように「男のかた！　そして女も！」やっと私は理解しました。貴女が恐ろしく抽象的な言葉で攻めたてていられるのが性愛の原理ではなく、さらに広い異性間の交通、生命の存在様式たる性の形而上学であることを。男性にとっては性といえば性愛にすぎない。だが女性にあっては性は母として妻として生活の全一的支配者、いわば暴逆な権力者であることを貴女は訴えておられた。けれども貴女がひとつの言葉を選ぼうとされると、言葉はたちまち男性の異臭を放ち、貴女をしかめさせるのでした。障碍はまさに思索の言語と女の言葉との断層にありました。

貴女の唇が震えながらついに発音しなかった言葉を、私は翻訳しようとつとめてみました。いうまでもなく私たちの言葉、男性の言葉、ある種の偏見にみちながら社会がその流通を公認している言葉に――たとえば機関車という場合、炎と煙の中で力強く動作する婦人の姿を私たちは決して想像したりはしません。医者という言葉の映像はあくまで男性であって、特に女医と呼ぶならばその映像はすでに科学の複雑かつ厳粛な論理性を失っております。夫・恋人・血族など性愛の因果による人間関係以外のものに対して今更めきますが、なんと深くわが国の婦人は閉ざされていることでしょう。そこで職場を持たぬ女性は第三者的関係を表示するために白々しくも奇妙な方言「ざあます語」までも発明しなければなりませんでした。それは「あなたと私は単なる冷い関係にすぎません」という孤立した婦人の貞操帯であるとともに、「むさくるしい」同志愛にも高慢で無知なひじ鉄砲を浴びせるものであります。他方、井戸端会議の語感は自己と他人の区分を一挙にとりのけようとする衝動にみたされております。主婦の生活要求は民主主義の道に沿っており、したがって彼女らは性の同権と異性間の平等を言語の世界でも要求します。その結果、女性特有のヴォキャブラリイは急速に姿を消し、強い語法が支配します。これが果して言語の世界における性の同権への大道であるかどうか。そこにむしろ言語の無政府化への傾きがないかどうか――貴女が疑っていられるのはそこいらのようでした。だから「男のかた！」であり、「そして女も！」であったのです。

　こう考えた時、私はふと息苦しさを覚えました。いつのまにか私は不案内な異性の岸辺に立とうとしてもがいていたのです。つまりこれは土佐日記じゃないか……思わず歩みは緩くなり汽車に遅れそうになりました。私たちは水たまりを飛びこえて自動車を傭い、間もなく別れました。再び文通の時間が始ったのです。

千年も前、ひとつの実験が行われています。男性の習慣であった日記を女性が女性の言葉で書くという形式をとりながら、女性の感覚の領域にまで男性の表現を進出させようという試み、すなわち性の知的倒錯によって先人の思い及ばなかった世界を表現しようとする野望であります。わが国の物語文学（小説）の草創期にかかる実験が行われたことは興味深いことであります。なぜなら感覚の混乱からくる複雑な戦慄は短詩型の文学では期待できないからであり、分裂状態を意識的に保ち続けて容易に統一された単色へみちびかないことが小説の基本的な創作方法であるからです。

この実験の結果は興味あるものでした。それは伊勢物語の「男」に比べてさえ、甚しく知的な明晰さと乾いた響きをもっており、驚くべきことにむしろ宮本百合子の文体を思わせるものがあります。おのれの所属する性を階級や国境とおなじように一度は疑いの眼をもってみつめたことのない者に、どうして性の深い内容が理解されるでしょうか。貫之や百合子という当代最高の知性人たちが抱いた疑いは極めて本質的であると同時に、性の本質が形式にあることをも見破っていました。にも拘らず彼等は人麿や和泉式部のように性の原色を自己の言葉の基調に置くことができず、一種の性の中立化に陥った。ここにはもちろん「知性の悲劇」があります。彼等はあまりにも明快に自己を異性の立場に移植してゆくことのできる意識によってかえって復讐されたのです。

同性愛や男装、女形……これらは表現の領土を暴力的に拡張しようとする感情の帝国主義であって、いわば計画的な誤謬をもたらすための素朴な算術であるにすぎません。私が問題にするのはこのような危険には全く無縁でありながら、全人間性を回復するために敢て犯された性の倒錯がついに性の中立化、人間らしい鼓動を倫理の石ころで停止させてしまう恐れのある傾向について言っているのです。「女である前に人間であれ」という人々がおります。では人間である前に哺乳類でなければならないのでしょうか。男であるから人間であり、女であるから人間なのではありますまいか。貴女はこのことをよく御存じです。しかもなお私と同様、言葉をつまらせておられるのです。その地点は井戸端会議の主婦と同じように貫之も百合子もゆきづまった万里の長城であると私は思います。すなわちそこは性と民主主義の合流するところ、新しい人間交際の様式と表現の形式がまだ靄のようにさだかならぬ水蒸気を立ちのぼらせているところ、生活の陰湿な領域なのです。

今日では日刊新聞のうち最も読みごたえのある場所が婦人の投書欄であることはもはや定説となりました。その内容は主として人間交際様式――たとえば貧しさの受けとり方といったものであって、すべては婦人の位置に対する意欲の発露にほかなりません。つまり今日婦人は表現を欲しており、この事実そのものが民主的な現象であるばかりでなく、そこで描かれている主題は――性と民主々義が直結する可能性を探りあてること、性の中立化を拒むこと――であります。

私はこのことに注目しないわけにはゆきません。なぜなら、この生きたままの心臓を載せている部分には我々男性にとって或る種の神秘的雰囲気が漂っていて、あたかも沼の一滴を顕微鏡でのぞいた時の気分に比較されるものがあるからであります。

解決、そんなものがたやすく転っていようとは思いません。私自身が倒錯と中立化に陥らないよう、あくまで男性の実感に立って辛抱強く沼地に馬を追いこんでゆくつもりです。さてこの馬、首尾よく翼を生やしますか。とにもかくにも男と女のつながり、結び目を強くしないことには地球は原子力を待たずして分裂してしまいますからね。——私はそっと禁忌を破って自分が女性になったときのことを夢想します。すると思いがけなく轟然たる音響のように一つの印象が訪れます。

女の私は早朝から薄明をかきわけ、新しい炎と接吻し、鼻を刺すもろもろの酵母に心臓をゆすぶられ、しかめっ面しながら雑巾やほうきの韻律ある舞踊に酔い、冷くなめらかな野菜を残忍に切り刻み、孕み女の腹のような食器群と格闘し、酋長と魔女を兼ね、露のようにぬれた子供のお尻を礼拝し、首のないキリンに似た夫へ季節に応じた皮肉と優しい哄笑を浴びせてやり、ときには彼を失神させるような料理でおのれの全思想を語ります……いや、こういう幻想はやはり危険なものです。私が言いたかったのは日本の女性があの得意な放心を覚ましさえすれば生活の感覚的領域（抒情）の大部分は女性の支配に帰すだろうという見解です。男性と比較するすべもない複雑な動作、豊富な物質感、なまなましい血族の情念を主宰する女性がどうして台所の美しさと無縁なものを歌う気になれるのかという単純な一個の疑問です。家庭労働がまだこの地上で婦人の主たる戦場であり、墓場である以上、ここから卑法にも逃げだすことはすくなくとも詩人のなすわざではありますまい。

（一九五五年九月「母音」第二十三冊）

死後轢断

ハンガリーの問題なんかおれは五年も前に流星のように通りすぎてしまった――僕がこう云ったら友人はうさんくさい目つきをした。新聞記事に驚くのも勝手、僕の言葉におどろかないのも個人の自由であるが、この言明には若干の痛ましさが、ふくまれているはずである。つまり現代人が事件を愛する心のあまりにも深いのに対する憂悶の情といったものがあるはずである。

いうまでもなく僕は平安を愛するがゆえに反抗してやまぬ、そういった性質の持主であることでは人後に落ちない自信がある。だが反抗の専門家として僕の印画紙はあの事件に感光しなかった。事件は血なまぐさいお祭りさわぎを踏みつけてゆくソヴィエト軍重戦車のひびきを僕の耳に残しただけであった。一旦批判の自由が確保されてから、その保証を盾に火をつけて廻るような態度が反乱らしい反乱に特有の、あの危機にみちたあざやかな正義感と何のゆかりもないことは疑う余地がない。反乱の美というものがあるなら、それは殺さないかぎり殺されるという決定的な二者択一によって厳重に規定されていなければならぬ。でないかぎり殺人は決して真の反乱の名に値いせぬ。

ハンガリーの悲劇は実に悲劇そのものの不在ということにある。それは最大の緊張のはてにおかすあやまち（それこそ悲劇の定義である）でなかったということのなかにある。今日の詩についてもそう云えるのではないか。

事件を愛する現代人とさきに云ったが、それは彼等が自分自身を一個の事件と見ることに長じても、最後の事件、唯一の事件とは見ていないことにつながっている。過渡的な実験を喜ぶのは現代人の性癖であろうが、僕はそれにくみしがたい。実験はつねに極限の場、いわば死刑台上にしかないのだ。そういう最後の唯一の言葉を詩に読みたいという僕の願いは今日どうやら空しいもののようだ。

（一九五七年「交叉点」四五号）

モデル村

　秋になると柿の実ばかりやたらに美しい、前方後円墳のある台地の上の村である。熊本市郊外のその村の街道でうしろにバスの警笛を聞いたら、なにはともあれ眼と口をふさがねばならない。阿蘇の火山灰でまき起される車塵がどんなものかは経験した人でないと分らない。この村が昭和二十六年〝環境衛生モデル村〟に指定されたというのも、いつかこの土ぼこりに悩まされたことのある県庁の役人が腹立ちまぎれに思いついたことだったかもしれない。

　ところで最近の報道によれば……この村が近郷近在に名が売れすぎて視察者の接待に音をあげ、「もうすこし助成金を増してくれないか」と県当局に泣きついたというのである。以下は当地の新聞から借用した数字だが、指定されたのは三部落、百五十戸。これが五年間にもらった助成金は約六十万、使った経費約百二十万、差引六十万の自腹を切った。助成金は始めの年額十五万から今では六万五千に落ちた。経費の四割は先進地視察、指導費、パンフレット代、茶代などに消えてしまった――とここまでは例によって例のごとき「地方自治の実体」であって、やられたといまさら気がつきはじめた村人やもう一ふんばり助成金増額をねらう村吏や針小棒大の報告書でとっくに点をかせいでしまっている県吏などの顔がいつものように浮ぶだけであるが……病後のおそい朝飯の膳で横眼を使いながら読みすすんでいた私は、次の数字につき当って思わずウナった。

三十年度だけでこれらの部落を訪れた視察者は五百五十団体、二万二千人に及んでいる。県内外からほとんど連日団体客をのせたバスがくりこんできたという。

「蚊とはえのいない村」こいつはそんなにも魅力のある決め手なのか。誰が動員したのか。どんな方法でやったのか。あのほこりっぽい村に村民が迷惑するくらいの人々を弁当旅費自弁で引きつけたそもそもの原動力は何か。内灘とか日鋼室蘭とか砂川とか色々われわれの耳に親しい闘いの記念地があるが、そこでどれだけの人々を自分の運命についてじっくり考える足がかりを作るために招きよせ得たであろうか。直ちに砂川の農民と脚を組むことはできなくても一応どんな状態か見ることによって自分の参考にしたい人々にこそ、現地をそれぞれの裸の眼で見てもらわなければならない。先日文学者たちが砂川を見に出かけた。それが大きな収穫をあげたといわれるくらいだから、「見る」ということがどんなにわれわれに不足しているか分る。

それにしても砂川と衛生モデル村をくらべるわけにはいかないと思うのに、この動員力はちょっとしたものではないか。私は自分が県の俗吏や村議である場合を想像してみた。しかし名案らしいものも考え及ばなかった。ただこうゆうことは言えると思った。もし最近の新中国のニュースがなかったらこの動員力は全く異っていただろうということ。そこに「蚊とはえがいない」という小さな事実に対する民衆の感度がうかがわれるし、それはわれわれの（少くとも私の）想定よりはるかに大きいということ。事実を自分の眼で見ることに民衆は非常に大きな意義を与えていること。そして最後に日本の官僚が……このほこりくさい連中でも……民衆の革新的気分を片手であおりながら、片手でうまく脱線させる小賢しさをちゃんと備えていること。

官僚は民衆の気分に沿ってレールを布き、民衆は官僚のレールを利用して走ろうとする。この勝負は果してどうなるのか。今のところではこちらに歩があるとはいえないだろう。しかし御用機関を抵抗の足場に変えてしまうのは民衆の最も得意とするところである。しかも日本の官僚主義の手口はただひとつしかない。それは生活合理化といえば結婚簡素化、台所改善といえば新案かまどという風に、そこを押えればかならず当る泣きどころをつかまえて、これを看板に婦人会、青年団、ＰＴＡ、消防団、農協といった組織を降りてくるこの一手である。憲法改正だろうが再軍備だろうが彼等はここを通ってくるよりほかはない。彼等は間違っても労組や文化団体や学生の自治組織から降りてこようとはしないだろう。だから決戦場はここにある。つまりこの半ばまぬけたモデル村の問題の中にある。

こういう眼でみるとき、われわれはかの田園の指導者たちに向って心から叫びかけることを忘れてはいないか。ろくに役に立たない多くの観念を地方の働き手に食わせようとしてはいないか。

あまりに多くの知識人があまりに少くしか見ていないのであるまいか。

（一九五六年五月「新日本文学」一〇六号）

東京の進歩的文化人

地震計の針を眺めている人間よりも、地震を起すなまずの方がはるかに文明的動物だという確信をいつの頃私は得たのかわからない。偏見というものは一度寄生主の体内に居心地のよい場所を占めると、後は勝手に大きくなるものだ。遂に私は自分の掌をあてて変形させることのできない領域には何の興味も感じなくなってしまった。生活を粘土のようにこねまわし、あくどい色彩でぬりつぶすことに、私は戦後の十二年間を使った。北九州の工業地帯から南九州の貧農地帯へかけて貧乏と病気の許すかぎりわがままに歩き、工作と煽動の日々を過した。まずは平凡なアジア風の青春であった。

当然に私は東京の精神的風土をさげすんできた。事あるごとに悪罵を放った。しかし、この一、二年なにかあわれみに似たものが私の心に走るようになった。東京もこのまま風化するよりほかないのかと思うと、しだいに東京の風景へ接近しつつある地方と抱擁しあいながら、もんどりうって谷底へ落ち、道なき道を見つけるすべもないではない、と考えるに至った。私は東京訪問を決意した。そこにはせめて一人のドン・キホーテがいるだろう。それは何とサンチョやロシナンテにも比すべき健気さであったろう。一月の間滞在し、多くの有名無名と会い、自分の東京に関する誤解がどの程度のものかを測定した。戦後はじめての長期滞京は色々と珍しい経験をさせてくれたが、それらをふくめて思いつめた結果、私の誤解はやはり高度な生産性を持っていると再確認せざるを得なかった。

さて、その印象をかき集めて勘定書を作るとなると、たちまち全身が苦汁に蔽われる心地がしてくる。そもそも一つの概念を人間が獲得するとき、経験がその範疇に接触し、内部へ侵入し、やがて脱出する過程はまことに多様であって、この東京をめぐるさまざまな観念ほど社会心理学の絶好の対象となりうるものは少いだろう。これまで時空を超越したかのごとき階級論の横行に対して時間的契機＝世代の概念が注入されたことは、たしかに最近の収穫である。しかし、この見地を単純に推進しても当然に空間的契機、たとえば中央と地方の関連が問題にならなければならないにも拘らず、この問題を女中部屋に押しこめておきたいというような無意識の作用を私は都会の進歩的文化の中に強く感じる。つまり文化全体の巨視的展望から離れて、地方文化への同情深い問題意識という風に化けてしまうのだ。世代論はすでに動かすことのできない歴史的位相に関っているので、ややもすれば静止した姿勢で語ることを許すけれども、空間的契機はさらに強く自己の生活の変質を迫る力をもっている。

自分自身の生活を根元から動かしなさい。私はその一言をいいにきたのだけれども、いわば正六時を指す時計の針のようにそこを通過するにはどうしたらよいか、全く自信がなかった。思うに私の神経の径路はやはり地方生活の核心に横っている翻訳不能の感性に対応するものであって、このような場合、わが故郷の老婆たちが放蕩息子によって湯水のように消尽される財産のありさまを眺めて発する歎声「銭（ぜん）の花ですたいなあ」というような巧い言葉を禁じられてしまうと、みすみす攻撃不能の死角をうみだしてしまう気がする。私の苦しみはそこに由来するのだ。私は炭焼きの老人や背負籠をつけた農婦に東京報告をするとすれば、次のようにはじめるだろう。

東京に着いて会った人々はまず例外なく「どのくらい、こちらにいらっしゃるんです。」と聞いたものだ。「東京に永住なさるのですか。」と聞かれなかったのはせめてもの慰めだったが、妙に私はそのとき「百年」とか「三秒」とか答えたくなって困った。がまんをして「一月」というと、「ああ、それじゃずいぶんゆっくりですね。」となるのだった。なるほど、一月は「ゆっくり」か。私は一月以内で収穫できる作物を考えてみた。やっと、二十日大根というのがあったっけなあ、とぼんやり思いついた。蕎麦は？　あれはたしか七十五日。蜜柑を植えるときの話をしてやりたくなった。まず開墾をして、それから人が立って両手をひろげてもすっぽりはいるくらいの穴を掘り、わらや堆肥を入れてまた土をかけると、ずいぶんこんもり高くなる。そこに雨が何度も降って、だんだん山がへこんでゆき、しまいにまわりの地面と同じくらいになった頃、そのまんなかに苗木を一本ぽんと植えるんだ。そうしなければ、すうっとした真直ぐな勢のよい芽立ちはしないのだ。どうやら算盤がとれるまで、ざっと十年……しかし、そんな話はやめておいた。十年先を計算している農民の保守主義と一月をゆっくりと感じる知識人の進歩主義と角力をとったらどんなことになるのか、なんて言うのはかわいそうじゃないか。

予想通り、東京はいまや「アンチ・テーゼの花盛り」とでもいうところだった。それはもう八分咲きをすぎていて、やがて散るではあろうが、さてそのあとにどんな実がなるのか誰もはっきり推定する者はなかった。六全協、スターリン批判、ハンガリー事件と揺れたあげく、懐疑に懐疑を重ねているらしいこの都会の進歩的文化がこの一点に関するかぎり週刊誌風のテンポで移動しなかったということは、むしろ私の眼には奇異に映った。

そこではどんな暴論を吐いても村八分になる危険はなかった。交通信号さえ心得ていれば、すなわち物理的危険から身を守りさえすれば、どのような危機感もなく歩いてゆけるのだった。人々は礼節に厚かった。地方から珍しく上京してきた者などは特に有頂天にならない程度にさりげなく歓迎されるのだった。その意見は決して全面的に否定されることがなかった。必らず少しばかりの反対意見が提出され、しかも深追いすることはなかった。それは単に儀礼上のものと思われない程度の熱烈さを持っており、沸騰する前に手際よくコーヒー碗や盃のなかへ移された。私はその洗練ぶりに感銘しながら、婦人雑誌などで始終見かける「男女交際の心得」というやつを思い出していた。

すべての知識人が一つの主題で語ることができた。朝も晩もコーヒーとラーメンがまじったような匂いがしている東京のまんなかで、或る匂いのしている店へ入ろうと思ったらそれは隣りだったという経験もしたので、よく考えてみると今は社会学者が心理学者に惚れ、哲学者が社会学に色目を使うといった三角関係の隆盛期、思想や科学が美しい連帯感を持ち、すべて一つの大鍋の中でたぎろうとしている黄金時代のせいであるらしかった。だから人々は皆一つの整理棚を持ちあるき、時に応じてみずからその棚のすみにもぐりこむのだった。そして私が訪ねてゆく家やアパートはことごとく同質の色と形と匂いにみちていて、私は永遠に同じ部屋に坐っているのではなかろうかと疑った。ここから何かさまざまの異質な思想が立ちのぼるとしても、それはかろうじて便所の形式的差違くらいではないかという気がした。たとえば水洗式腰掛け法＝モダニスト、水洗式うずくまり法＝アバンギァルド……という風に。

そこでは他人を気にしていることは大変なものだ。私がAと話していると、Bがはいってくる。たちまちAとBの間にCやDの話がはじまる。C・Dを起点としてE・F・G・H……やがてそれが順列・組み合せのごとく組んずほぐれつしてA・B・C・D・E・F……はそれぞれにどこがどう違うかを論じたあげく「ところでいつか君の言っていた仕事はすんだ？」「いや、それで今忙しいんだよ。弱っているんだ。さよなら。」後姿を見送りながら、私はふっと考える。——どこの谷の誰の嫁が三番目の子をうんで……百姓女の井戸端会議とどう違うのだろう。やはり違う。彼女らの会話は必らず自分たちの帰属する集団へ帰ってくる。その集団に絶えず触りながら、彼女らは発言している。しかし、ここでは何もない。電波のような神経の波しかない。

だから彼等の勤勉博識たるや非常なものだ。かりに私が小部数の非日刊新聞などに短い文章を書く。発行されたかどうか知りもしないうちに反響がある。他人の批評にものぐさな私は上京中「あなたのことを誰それが何に書いてましたね。」といわれて「読んでません。」というので「何とまあ」という顔をされるのがしばしばだった。犯罪を一つ見つけたといわんばかりだ。気の毒になってこちらが「それで何と書いてるんです。」と聞こうものなら話はひどくあいまいだ。さらに畳みこんで「あなた自身はそれをどう考えます。」とまではとても聞く気になれない。

はじめのうちはまだ彼等の勤勉ぶりをまともに信じていたから、これではあまりに薬の効き目が早すぎると心配した。田舎ではいまだに漢方療法のごとき精神の処方が残っていて、ひとりの人間をとりまく歴史の輪廓を知らないうちにその者の言葉など信じはしない。けれども、それは私の杞憂だった。彼等は別に自分の病気をなおしたり、信じたりするために読んでいるのではなかった。彼等は純客観的読書法とでもいうべきものを発明していて、その人間がどの系列に入るのか、果して異端であるか正統派であるかを手持ちの図式で分類し、あとはひいきの角力をこしらえてその勝敗を楽しめばよいのだった。彼等は手あたりしだいにも読まないし、好きなものだけを読むこともしない。「面白くなくても、これだけは読んでおかねば。」という義務的読書感覚があるのだ。私はこの雑文がその感覚の触手につかまれはしないかと実はひやひやしている。どうかそのような読者はここで中断して他の頁をめくっていただきたい。

こんな暴言を吐くのも目下の東京のまことに優雅な寛容さを私が身をもって味わったからであって、石川達三ではないけれどもかくも禁制の少い都会はまれではないかと考える。もっとも達三説をわが地方において実施するのは大反対だが、この東京でも禁制らしいものを一つ私は発見した。それは決して或る対象にぞっこん惚れたというそぶりを見せてはならないことである。もしそんな口を利こうものなら、たちまち小悪魔風の微笑が鼻先に近づいてきて「甘い」ということになるのだった。なぜ惚れることが甘さであり、甘さが感傷であり、感傷が弱さであり、弱さが背徳であるのか、その筋道を一つ一つ問うてみたいくらいだが、それはドイツ流の観念美学にでも任して、私は惚れずに尊敬する道なんかをぜひ教えてもらいたいと思う。もっとも、絶対の懐疑というものも論理的に可能であり、可能である以上存在することができ、存在すれば何かの役割を持つという風な論理を聞かされたことがあるようだが、私のような人間は溺愛することと生きることとを同義語にしてしまっている動物だから、どうもこのような倒立法は苦手といわざるをえない。

あるとき私はアンチ・テーゼの達人のひとりに会ったが、彼は最近或る文章を批判したといっていた。「始めは少し面白いと思っていたが、だんだん書いているうちにだんだん悪くなってきた。とうとう全面否定になっちゃった。」とにやにやした。アンチ・テーゼも達人となれば全面否定によってしか相手を認めるわけにいかない次第で、亭主が女房を「おいこら」と呼ぶがごときものであろうとは思ったけれども、うっかり間違って「イエス」と言ってしまわないようにあたり一面「ノオ」をばらまいておくやり方はあまり安全率が高すぎて、レジスタンスのうちでは乙の上くらいではないかという気がした。達人すらしかり。いわんや達人を上廻る超重量級においてはアンチ・テーゼの巨砲をむやみとぶっ放し、あれも反対、これも反対、自分に反対、世界人類に反対して、さる友人の口吻を借りれば「非・非・非・非・非」と動物園の怪獣に似た調子を奏でているのには参った。俗流大衆路線の俗流を威勢よく蹴とばしたのはよかったが、勢いあまって大衆路線にお尻をぶっつけ、坐りこんだままなおタンカを切ることを忘れない伝法肌には私はほんとに気がもめた。俗流とはそういう事態をいうのではあるまいか。達人が全面否定したくなる気持も分らないではない。

私は中島敦の小説に出てくる沙悟浄のように忍耐強く「考える店」を訪ねあるいた。内輪話と良識の間をさまよい歩いた。あるいているうちにふと妙な幻が見える気がした。それは田の中の鷺のように一本脚でぽつねんと立って向うをむいている心屈した青年の姿だった。彼等を数百万人集めたら、今の東京ができあがるのではなかろうか。ほとほと私は、ここ数年かけて共同製作してきた私たちの擬似コンミューンの胎内へ駈足で帰りたくなった。あそこでなら一羽の鷺の肩をたたくことも無意味ではない。だが私はすでにそのようなホームシックも計算ずみであったから、かえってそれらの事績を蛮刀のごとく振りまわした。コンミューンのコの字も匂わない生活よりは、にせコンミューンのすこし潑剌たるものの方が月世界旅行へ一歩近づいた人工衛星くらいの味わいがあるということをピンと分ってもらえる自信はさらになかったが、ここでひるんでは汽車賃がむだになる。私が口角泡をとばすと大笑い、沈黙、感動――いや、全くそれこそ生活というものですなあ。それに比べたらわれわれ東京人は……

最大の難関はここである。果して諸君はわれわれの原理を承認するのか。現在の田舎が東京の知っている悪のどれか一つでも染まっていないものがあるというのか。いや、現在の東京の悪の根元はすべて地方に由来していることをわれわれは知っているのだ。ただわれわれは自分の悪を知ると同時に、そこに行動のエネルギーを見出している。もがいている。「われわれ東京人は……」の一瞬後には諸君のうちにどのようなエネルギーが生まれているのか、それを語れ。――あやうく私は演説をしそうになった。だが私はかろうじて思いとどまるのが常であった。ある集りで私の旧友が突如、怒号叫喚したのを見たことがあるからである。彼の意見は堂々たる原則論であって、その前には反対論はしなびて震えているようだった。私は内心笑いを抑えることができなかった。彼が九州にいたとき、すぐれた多くの原則実行者がいて、飢えてもよろめかず、凍えても震えずという有様に、彼は常に切歯扼腕、なぜよろめかないのか、なぜ震えないのかと叫んで自分の非原則の有効性を主張し、そのゆえに稀少価値を持っていた男だが、ところ変れば品変る、いまや彼は原則をもって群衆を粉砕しつつあった。しかし原則とは常に実行者の所有であるという点で、非実行者の側へは決して移動しないのである。彼の原則論はその意味で反対論と底の方において調和しかねない屋台のラッパという趣きがあった。

私は地方生活の優越性を誇示しにきたのでもなければ、その清潔と素朴さに関する伝説を宣伝しにきたのでもなかった。東京の病は地方の病であり、地方の病はまた東京の病であることを、ただしその記号が正負の面で裏返しになっていることを告げにきたのである。したがって私はこの生産性を失った裏返しの農民主義の城・東京に反対し、しかも東京それ自身の中に自己回復の力を発見している人を探しにきたのであった。「われわれ東京人は」などという自嘲が何ほどのものを生むことができるか、それは地方の実験でよく知っている。一切の倒錯はそこから始まるのだ。

私はひとりの無名市民である知人宅を訪ねたときのことを思いだす。彼は不在で、留守をしていた夫人に「彼、ちかごろも翻訳していますか。」と聞くと「ええ、薄給なもので。」と答えて一冊の本をとりだしてきた。「これ、最近出したものですけど。」それには彼の名前はなく、別人の著書になっていた。彼のしていたのは翻訳の下請だった。私は夫人があたかも夫と自分の共同製作物であるかのようにやすやすと書棚からその本を取り出したのには、いささか笑ってはならないおかしみを覚えたけれども、だが彼女がこの本は夫が作ったものだという自信を断乎として示したのには感動した。あとで夫にも会ったが、彼もまた「中間搾取をされてね。」と笑いつつ、その態度に何の揺ぎもなかった。自嘲もなかった。私にいわせれば、彼等もまたあまり原則的ではない出郷者であるが、実体というものを見る眼まで失ったのではなかった。私が見た数少い東京の田舎者の一例である。

また私はある工業地区の高校教師の話をきいた。それによると彼はこのごろ全日制から定時制の担当へ変ったのだが、そうなってみて驚いたことには全生徒の七割が無欠席で、平均点は八十点以上だったという。私は出席率にも成績にも信を置くものではないが、たしかにこういうところに平凡ながらも未発掘の東京があるような気がする。やはり工場地帯を研究している大学院学生と語ったときも、私が「最近の優秀な労働者は大学卒業生よりも一般に純正なインテリジェンスがある。」といったら、彼もたちまち是認した。とすればこのような地点では東京は私たちの地方と全く同じである。それが嘘だという気のする人間は自信をもって嘘だといえるまで自ら経験してみればよい。もっとも、純正なインテリジェンスとは何かという線ですでに南北相隔っている心地もするが。

進歩的文化人と呼ばれる人ならもちろん、このような場に臨んだ多くの経験を数えあげるであろう。しかし断言するが、それは地球と火星の接近というがごとき現象であって、彼等と肉弾相うつ衝突を演じ、彼等の全生涯にわたる責任を負ったものでないことは明らかだ。そうでないならば、私が自分のまわりの小さな経験を語ったとき、それが人々によって傾聴され、しばしば感心されたりしたというような現象がありうるはずがない。もしこの事実をわがにせコンミューンの成員が知ったならば、その驚きは大きな失望を伴うだろう。進歩的文化人の知覚神経が全国を蔽っていると仮定すれば、このような現象は現在の日本にいかに運動と名のつくものが存在していないかを意味する。しかし私はそれを否定するいくつかの例を知っている。

私は彼等の、すなわちわれわれのレーダー網がいかにも貧弱で疎漏なものであることを信じる。

それは全く偶然と恣意によって個別的な経験を器用につなぎ合せているだけなのだ。このような状況下ではとても東京を地方のわれわれの姿をまっとうに映した反射鏡と認めることはできない。だから私は東京のなかの「中央」性を信頼しない。そしてその「地方」性を信頼する。私たちが感じるところでは、それは一種の殺伐で巨大で直線的な東国風のリアリズムとでも呼ぶべきものであるけれども、それに中央意識が重ねられるや弱々しく矮小な雲助風のダンディズムに変ってしまうのだ。東京が全国の正当な鏡となるためには、やはり東京は一度その中央意識を破壊し、自分のなかの地方を発見し、そのことで他の地方とつながる基盤を回復しなければなるまい。

しちくどいようだが、このときに「そうだ、そうだ。」と手をたたいてもらっては困るのだ。これは地方にいる私などが言うことであって、それに手をたたかれたのでは私が打撃を与えようと思っている真の東京悪なんてびくともしないであろう。しらぬひ筑紫のはての若僧の辻説法にころりと参るような弱い神経では、それを裏返せば辺境のさびしい町でいささかの才気を持ち東京の空にあこがれている青年少女とすこしも変らぬではないか。東京組は断乎として私の意見に反対すべきである。静止的な反対ではなく、前進的な反対をすべきである。首都としての機能をまっこうから振りかざし、日本列島ごときは楽々と掌中に収め、レモン汁のごとくそのエキスをしぼり出すべきである。中央と地方におけるこのようを拮抗関係が作りだされてこそ、民主主義のつるべは円滑に泉を汲むことができるのであり、われわれの場の概念は完結する。地方がいうべきことを東京がいい、東京がいうべきことを地方がいうのでは、いつまでもアンチ・テーゼの花は咲き続けるだろうが、実の一つだになきぞ悲しきである。

懐疑派諸氏は答えたものだ。そのような状態へ進もうとすれば、なるほど組織を必要とする。しかし、この組織が果して有効なものになりうるかどうか、また成功しても官僚化しないという保証はない、と。——私をして言わしめれば、そのような組織への恐怖自身が組織への過大評価であり、エネルギーよりも組織を重視する態度であり、ついには官僚化をうむ原因である。万難を排して常にエネルギーの側に立つという決意、それがすべてを決する。われわれの目的とするところはエネルギーが有効な力となるかどうか、この一点にかかっているのであって、今から発電機が壊れたあとの始末を考えたり、タービンに噛まれる水はさぞや痛かろうと同情するよりも、現に存在するエネルギーが立ちのぼり発散しつつあるのをどうするかである。痛いのはお互いさま。

脅迫するみたいだけれども、よく考えてもらいたい。今日いわゆる進歩的文化人だなどと冷やかされているうちはまだ結構な存在だが、私たち全体をふくめて目下の言論のかすかな自由を支えている者は誰であるか。革新政党か、労働組合か。いや、それらとからみあいながら根源にあるのは全国津々浦々のひそかな無形のエネルギーではないか。だから草深い町や村の若い勢力が一つまた一つとたおれてゆくときが来れば、それこそわれわれの晩鐘なのだ。彼等の奮闘のみえざる集積こそ目下流行の四畳半向きアンチ・テーゼすらも保証しているのだ。潮が満ちつつあるか、退きつつあるかを見ようともせず、海の一滴になることすらを恐れて盲射ちをくりかえしている者を見るとき、私は笑いころげながら遂に死に至るという、あのニューギニアの奇病を考えずにはおれない。

（一九五七年一二月「群像」）

サイズのあわせかた

「神々は大きく、人間はちいさい」一年そこそこ阿蘇にいた私は、よくこの地方の悪態をついた。西方の平原をめざす征服戦のさなかにたおれる大酋長ナマズ（この魚は阿蘇族のトーテムであろう……スガルの滝創生説話）、強者に抗して潰滅させられる部民の象徴キンパチボウ、掠奪ののちの凱旋行進と思われる火振り——これらのまぼろしは私をして、死してのち彼等と渡りあうために自分のしかばねをこの国の杉の根に埋めたいとおもわせるくらいである。この魔力にくらべると、目前の住民には白菜漬ほどの香気しかない。長く降りつづけばさっさと放牧場から引揚げてくる牛の気ままさにすら遠い。おそらく人間たちはフキやタケノコなど屋敷うらのじめじめしたところに生えるものばかり食っているからであろう、というのがその趣意である。

さすがに私はこの格言めいた野次を公表することにしばしためらっていた。奈良の西瓜作りをヤマトタケルにくらべるのも曲芸じみている。古墳期の英雄というのはおおむね一人の事績ではないから、せめて農民組合とか部落解放同盟なら角力にならぬこともあるまい、と考えているうちに、たまたま小耳にはさんだ言葉があった。

宮百姓と寺百姓じゃ位がちがう。

なるほど阿蘇宮と西巌殿寺の格式の差ぐらい私も知らないではない。またそれは課長夫人と係長夫人の関係が亭主たちのそれにひとしい現代風俗とさほどの開きはない。けれども私はまず自分自身を宮百姓であろうが寺百姓であろうがまぎれもない農奴の出であると認めるつつましさにおどろいた。つぎに一厘の経済価値もない格式を数十世代経たのちに尊重する、あるいは尊重するふりをする演技力に感心した。最後にその非経済的な価値が今日なおある種の社会的な価値であることに脱帽した。

私はだんこ冒頭の「神々は……」を乱用することに決心した。このようなミョウガ汁ほどの香気で一生の時間が食べてゆけるものなら、宮百姓からさげすまれる寺百姓もまた他の論理である種の自負のこころを抱いたであろうことは想像にかたくない。いやはや、人間の栄養にも色々あるものである。ただし食えないものを食う技術さえあれば。

「下には下がある」という認識からうまれる誇りは、上の者にとって抱く必要のない心理だから、すくなくとも半分よりは下のものである。したがって、それはある意味で残酷な生産性をもつ。それは「上には上がある」という見方よりも現実にたしかめやすいし、自分を支えやすくもある。秋ナスの味を「嫁に食わすな」という風に表現する、つつましくも惨忍な手法というものはおおらかな坊ちゃん趣味よりもリアルであることにまちがいはない。だがそれも秋ナスを嫁に食わして自分はウナギをいただくという思想よりはセンチメンタルなこと疑いをいれない。まして嫁がウナギを食い、婆さんが秋ナスに甘んじることにならないとだれが保証できようか。そして大衆指導者というものは、秋ナスをウナギの味に変え、ウナギを秋ナスの味まで落してしまう怪物《ばけもの》じみた料理人のことだ。怪物が人間よりもリアルになるのは、それがもう一枚上手の楽天性によって殺気を生じるときだけに限る。

さらば俗流大衆路線もその反対もくそくらえ、小馬のような心でなくては巨きな神を作れないのはあたりまえの道理である。神々は宮百姓を作り、宮百姓は神々を作る。神々は大きく（しかし）人間はちいさい、のではない。神々は大きく、（だから）人間はちいさい、のである。英雄は決して英雄物語を書かない。彼は小さなものの物語を書くだろう。「つつましくあれ」というような格言は英雄物語を書けという意味にとるべきである。ではつつましき者たちよ、現代の英雄を書け。怪物は小馬をえがくことに熱中せよ。そして神と人間との秋ナスのごとき輪（サークル）からぬけだすがよい。誇りをもたない人間ほど食欲が大きいという私の尺度からいえば、阿蘇で見たもっとも偉大な存在は、たんねんに一帖のちり紙をかぞえながら「ちきしょう、あの婆さんに買わせたら、また五枚抜きやがった」とさけぶ少女の入院患者であった。

（一九五八年九月　「阿蘇」三九号）

V

アラゴンについて

彼の流行期はもう去りました。そして彼の影響はあたかも尿のなかにふくまれた蛋白のように多くの人々に残っています。いつもながらのモダニストどものやり口で、レジスタンス詩というものが往々にして舌つ足らずのルフランと奇妙にも同居させられるといった体のやり口。……

ところで彼の作品の基本的な意義はどこにあるのでしょう。私には、それは唯ひとつ次のことに在るのだと思われます。それは、詩という最も微妙に個人的《オリジナル》な、そのゆえに最も私的な偏向を帯びやすい表現形式において、彼アラゴンの作品はその世界観のみならず、さらに進んでその政治信条、それから導かれる行為のはしばし、愛とにくしみの綾に至るまで、一定の厳密な政治方針とすきまなく一致していること、ゆるぎなく一致していることであります。従来どれほど歎賞すべき宗教詩人といえども、その思想にかくも忠実であるばかりでなく、その具体的な生活指針、行動指針にまでかくも自発的に、詩的に沿い得た者はあるまいと考えられるのであります。

ではなぜアラゴンはそのようにあり得たか。この問のなかに、アラゴンの意義のすべてがふくまれているように思われます。

そもそも彼の作品を一読して気のつくことはその構図はきわめて安定しており、その素描はきわめて大柄で、器用さの限度を心得ており、昂奮状態や表現過剰に陥らぬよう常に手許が引き締められております。それは疑いもなく巨匠の風格であって、これを他のレジスタンス詩人と比較するとき、（エリュアールに比較してさえも）一目瞭然であります。こういうケレンのない落着きはどこから生れるか、それはいうまでもなく、ダダイストからコミュニストへの知的遍歴の果てに得られた確信にちがいありますまい、と同時に私はその理由の僅かな部分を次のような技法上の説明をもって補うべきであると考えます。いわゆる抵抗詩人としてのアラゴンはすでに青春を通過してしまった詩人であり、いわば青春を理解している詩人であります。精神の混沌たる発展の時期にあるのではなく、すでに展開を完了した思想の所有者であります。

彼はもはや動かしがたく構築された足場に立って歌っております。したがって彼の仕事は一定の思想を詩によって証明することでもなく、まして名状しがたい魂の発展を新しい世界として開示することでもありません。彼の詩は既知の値をもつ思想からみちびかれる感性の貸借対照表《バランスシート》なのである。このような場合作品の動揺が少くなる傾向は否定できないと思います。同時に私はたとえば神曲やファウストにみるごとく、いかにして自己が建設されてゆくかという過程そのものを、より全面的に綜合的に創造する詩作の可能性があることを信じます。そのような面への欲望をむしろアラゴンは他の表現形式……評論や小説でみたしているように思われます。
おそらく芸術家には二つの種類があるのです。或る世界の讃美者（呪咀者）と或る世界の創造者（破壊者）と。そしてアラゴンは創造者ではない種類の詩人であります。そこに彼とピカソの間の質の違いがあるように思います。二つの人生にふくまれている悲劇の質が違うのです。

（一九五二年五月「母音」第八冊）

欠席した人々へ

ランボオについて

これは母音詩話会の夜、田舎者の心に稲妻が走っていた灯りのつかぬ三階での抄録です。いみじくも卓子は結婚の幸福とランボオ論に分裂していた。コーヒー組とココア組が乱れあっていた。そして誰も自分の運命については恐ろしく無関心であるように見えた。汽車の時間だけが気にされていた。しかし僕たちの首はすでに歴史の一撃をまっている鴨のように淡く光っていた。苦い泥に似た言葉が女心とアフリカ大陸の間をゆききしていた。女を語ることが出来ない以上、心ならずも私はランボオ組だった。

※

パリー・コンミューンがプロレタリヤ独裁の破れたしかし輝かしい先駆的経験であったことを認めたのはマルクスとレーニンでした。一八七一年から一九一七年まで、コンミューンからソヴィエットまでの半世紀は民衆の失意と反動の暗中模索の季節であり、労働者、農民にとって、いわば素描の時代、練習曲の時代であったこの期間は、芸術の全分野にわたって次の特徴がみられます。ブルジョアジーのあまりにも短かかった才能の最後の一滴、もの悲しい或は惨めな敗北の形象化についてこれ以上完成することを望めない少数の名匠、基準に対する極端な偏倚或は深刻な懐疑、宗教というよりは私的な「神」の最後的登壇、大戦後たちまち涸渇した諸分派の細流がそれ自身は意識することを嫌っている諸々の形式の源流、とりわけ小説という不定型の沼が文学の流域で占めた決定的制覇……総じて歴史的にブルジョアジーの才能は古代貴族や封建領主のそれに比してあまり豊富かつ息の長いものであったとはいえないことを示す一段階。

この地下の墓室に至る階段の第一段に少年ランボオが立っています。その眼はいまの瞬間きらめいたばかりの眩ゆい光、労働と平和のコンミューンの光に恍惚と戦慄を感じます。彼の詩作が束の間に終ったのはコンミューンの電光が走り去ったからです。

創造する者はたやすく知っています。誰でも周囲の世界から来る力を受けて作るのだと。ランボオの場合も例外ではありません。彼の作品のとりどりのあやなす色彩、激しく美しい感情は自らの力を知った最初の労働者のものです。その集団の熱情の反映です。暗黒の揺籃に眠っている胎児が突如激しい刺激を感じ、苦痛と不安と歓喜のリズムのはてについに未知の世界にほとばしり出るようにパリの労働者とランボオはコンミューンのその日を迎えたのです。密室の扉は幾世紀の後開けられた。走り出た若き労働者の瞳をなんとその光は奇怪なまでの優しさ、物語る草や花でまぶしがらせたことでしょう。だからこそ、それは市役所の小吏ヴェルレーヌでは果すことの出来ない役割でした。それは少年の網膜を必要としていました。だからこそ彼にとって「見ること」は最高の機能でした。目前の景色に未来の光輝を認めることのできる者こそ「見者」であったのです。彼に世界最初の労働者詩人としての光栄があたえられるべきであります。あたかもハイネが最初の進歩的インテリゲンチャ詩人としての光栄を負うべきであるように。なぜランボオが労働者詩人であるか？　それは彼が階級の内側の眼を持っているからです。もちろんコンミューンは短かかった。敗北した。ブランキー主義の未熟な、無政府的な思想は敵味方を厳密に判別し得ず、決定的進攻の時期をのがし、農民との同盟を忘れて孤立した。この衝動性、はねあがり、連帯感の稀薄さはランボオの全作品を貫いています。しかもなお彼は支配者俗物への完膚なき嘲笑、戦争への抗議、平和へのあこがれ、労働の意義、自然と人間の夢みるような調和などでコンミューンの感情の代弁者であります。それ以後のランボオについて敗北と堕落だけを強調する見方があります。私はそれについて全面的には賛成することが出来ません。なぜなら彼の敗北のなかでの前進を保証するに足るほどコンミューンの思想的基礎は強くなかったのです。五十年後の十月革命がそのゆるぎない保証を人類にあたえました。マルクスがハイネの動揺に寛容であったように、レーニンがゴリキーの動揺に寛容であったように、私たちは私たちの最初の詩人にすべてを要求することはできますまい。彼の詩作の放棄が敗北したコンミューン後の西欧世界に対する一の抵抗、一の絶縁状であったこと、彼のアフリカへの逃亡がたとい逃亡であるにせよ、再びコンミューンの太陽に相似した極地の光をとらえんがための空しくも悲壮な努力であったことを信じてはならないでしょうか。彼にはあのとてつもない才能をもった盗賊詩人ヴィヨンや「真夏の夜の夢」の森に集る職人たちにも流れている庶民の楽天主義があります。そしてヴィヨンにくらべると彼は実直な田舎者であります。彼は流浪する農民、過激なルンペン・プロレタリアートとして奇しくもパリ・コンミューンを表現しました。

彼はまだ評価されつくしていないと私は考えます。特にわが国の詩の未来に関して、労働者と農民の感情の合流点は新しい問題をひろげております。ランボオの研究はこの解明にもなにがしか役にたつものだと思います。なぜなら彼の詩ほど「実践の裏打ち」を持っているものは数少いからであります。実にここにこそランボオの比類なき価値があるといわねばなりません。

（一九五四年一二月「開墾」第一号）

現代詩時評

I

私は北緯三十一度線のあたりにいうも愚かな小間物屋を開いている。失業対策と療養を兼ねた、蘇鉄のかたわらのまぬけた貧商なのだが、ちかごろ若い婦人達が物を作る喜びを失っているのを痛感する。時間と材料にいどんで不恰好な独自の物を作りだすより、形の整った一通りの美しさを受けいれた方が楽しいように見える。尋常なもので足りているのではなく、自分を特殊なものにみせたい欲望はきわめて強いのだが、その求め方がまるきり怪しい。彼女らは美しくなることよりも美しく見えることを望んでいるからだ。婦人雑誌なんかもこの病弊に処方を与えているけれど、それは「暮しの手帖」風のやくざな合理主義の講釈にすぎない。それではいったい何が欠けているのだろうか。思うにそこにはひとりの人間の全生活態度がこの一事に滲んでいるというものがないのだ。

近着の詩の雑誌をめぐっても同じ合理主義の講釈という印象を拭うことができない。田舎住いの怠け者で詳しくデーターをあげることはできないが、紹介、解説、展望、消息、選評、書評、時評といった分野が馬鹿に賑やかになった反面、無垢の創造物（詩、詩論など）はどこやらうら枯れて見える。いわば創造よりは啓蒙と評価の花盛り、一見して百花リョウランの趣があるけれども、よくみれば何のことはない、包装紙にだまされて買った菓子……それがつまり編集のうまさだよ……といった傾向が本誌をふくめて存在していないかどうか。

「×氏をどう思われますか。」「?」「つまり彼の詩壇的位置は。」「さあ、退役陸軍大将とでもいうところでしょうか。」或る療養所の詩話会での対話である。ところで先日散髪中に床屋のおやじから聞かれたものだ。「あんたと淵上毛銭はどっちが有名なんですかい。」〝床屋詩談〟なんて新造語を発明したつもりではない。さきの新日本文学会大会に出席した男が「もう一度行きたいと思いますか」と尋ねた会員に「残念ながら」と答えたという話は、右のようなブルジョア・ジャーナリズムの悪徳に感染した周囲につつまれ、その浄化を願っているひとりの青年詩人の感想として聞きすてることができない。そこには中央の機関に集うわが陣営の有能な働き手に考えてもらわねばならない一点があるのではなかろうか。

たとえば現行の投稿詩とその選という形式である。ここに否定することのできない作品の採点、格づけの傾向は上述の詩話会や床屋の例とどれだけちがうだろうか。孤立をすて生活を正しく清らかにするための創造に助言を求めている人々を一種のギルド的空気に陥しいれ、十把一からげに、穏やかに、かつ軽薄に平らげてしまう虫とりスミレのような機能をおしげもなく破壊することができないほど詩人の民主主義はまだ弱いのか。

いつも思うことだが平和と民主主義の側に立つ文学者はもつと「編集」ということの意味をさとらねばなるまい。そして我々の編集の理想はいわば無名の天才と民衆の叡智との共同製作物となることである。そこでは曇らない針路と実直な創造精神が結びつくためのあらゆる配慮が要求される。しかるに、たとえば「現代詩」五月号のサークル詩評から「石炭泥棒と天使」に対する批評をのぞいてみよう。——応募作品全部を通じて、この作品は一番観察が行届いている（なぜ「一番」といわねばならないのか。それがどんな意味があるか）——今後の問題としては、視角のリアリスティックな深化を期待している（どうしたら深化するか、それが聞きたいのだ）——天使のイメーヂには余計ものをぬいた方がより生きてくる（天使なんてものは我々の場合いっこう「生きて」やしない。その「余計もの」とはそもそも何だ）こんな片々たる評価に歓喜し反撥し、泉をからしてゆきつつある青年を私は少くとも十人は知っている。私は田舎者だから傷ついた側に肩をもつ。

ミケランゼロとダ・ヴィンチを比べて「こちらが一番」などと言えたものか考えてみれば分る。評価一般が悪いというのでなく、その方法と態度に問題があろう。なぜこのように評価するか、その土台をわが身につまされて明らかにする必要がある。キリストのごとく、天上の審判官のごとく語るな。我々はみな自分と他人を作り変えるために創造しているのだから、一篇の詩がなにがしか評者の生涯を動かす。その力について語るべきである。「おれにはとつくに解決ずみのことだがおまえらにはまだ結構役に立つだろう」という啓蒙主義、無疵の精神と完全に縁を切ることを要求する。おのれの裸身に侵蝕を受けなかったことがらには口をつぐむことをわが有能な詩人達にお願いする。

古今東西の大詩人達の特徴、それは彼等の名前を口にするやいなや、まぎれもない個性をそなえた彼等の生活をいなずまのように思い浮べることだ。彼等は啓蒙だの技術だのは主要な問題にしなかった。それは科学の領域であって直接に芸術の領域ではないからだ。何よりもまず彼等が没頭したのは実に新しい人間生活の創設にあった。それをおのが一身を通じて具現することにあった。我々が詩という形式を通じて彼等から学ぶところもそこにしかないだろうし、詩を通じて人々と苦楽を共にする場所もそこにしかないだろう。これを離れて生活綴方指導の熟練者やサークル活動の模範例を求めるのはおろかなことだ。いま人々は綴方や詩が自分の生活を変える力をもっていることに驚きをおぼえ、ではこの力によってどんな生活を築くことが可能であるか思い悩んでいる。それは民族一般、芸術一般の進路に深く規定された自分自身の生活建設の道を直接に求めているのである。人々の出している問題はこうである。「私の場合はどうなりますか。」それはまさしく古今の天才が自らに課した命題と寸分違わない。だがこの答は終局的には他の何人でもない自分自身によってしか与えられないだろう。だからこそ人々は恐るべき広さで創造しはじめたのだ。雛小屋の屋根裏に寝泊りして詩を書く農夫などが生れてきたのだ。民衆は天才の道を進んでいる。経験の深い詩人の任務はおのれの生活を創造の皿の中につかみだして見せることによって民衆と天才の、根本的には同質の唇と胃袋を結びつけることである。おのが生活の顔にもとづいて発言することをとりわけ首都の雑誌に集う民主的な詩人達に期待する。終りに兵庫県の別府化学では「太陽群」という詩サークルが労組青年婦人部の機関紙として全作品無署名の詩誌を発行している。労組とサークルの呼吸がここまでに至るには多くの苦しみがあったと思えるし、危機をはらむ試みもなお続くだろう。その努力に拍手し機会があればその詳細の発表を願いたい。

（一九五五年八月）

II

近所の若い瀬戸物屋が教えてくれた。南九州ではダルマを描いた茶碗がよく売れるそうな。南九州専用といってもよい位だそうな。言われてみればハテなるほどと運勢占いの前でうなずく心持だが、あの強すぎるほど不気味な形象が僕らの感覚と親類であることを知らされると、これだから世の中はうっかり過ごすわけにゆかないのだという思いがいまさらのように湧いてきた。富士山はどうかね、とためしに聞いてみる。あまり出ませんな。

そこで僕の頭の中で富士とダルマが天秤にかかった。目盛りはどちらにもたいして動かない。これが幾百万の人間となれば馬鹿でも認めるほどはっきりした差であらわれるというのだから、人間ひとりの感度なんてたかの知れたものだ。僕は観念したように「おれはダルマ党で富士党ではないのだ」とつぶやくよりほかはなかった。

それから幾日か経って「現代詩」七月号の「富士特集」を読んだ。編集者もそうだったらしいが「ふじはかみさんがいるみたいな山です」という一行が頭にのこった。子供の直観にぶっつかれば大人は分が悪いけれども、理屈をいえば、今の子供に「神さま」ではなくて「神さん」がまだ健在であることに僕はちょっと打たれた。それは近所合壁のダルマ党に心を動かされたのと同じ質の感動である。富士党とダルマ党はここで手を握っている。どちらつかずの蝙蝠になりかねないのは僕である。

「かみさんがいるみたいな山」は霊峰富士などという寸づまりした観光宣伝文句とは何の縁もない。自分なりの感覚だけで出来た、どえらい土くれである。富士は自分を大きくしたような山だとこの子供は考えている。この断定はいささかの疑いをふくんではいない。観念論もへちまもない。子供にとって空想などは存在しない。観念的な神などありえない。だからカトリックの坊主が苦労する。

これにくらべて同じ特集の金子光晴「富士」から拝借すると

永年、僕は富士を蔑んだ。
この俗悪な玩具を
僕の机のうえから

追放した。

しかし、いま僕のまえの富士は
僕の大人気なさをからかふ。
天につらなる雪けぶりで
かへって僕の古趣味をわらふ

なかなか正直な告白のようにみえるが、哀れを催す詩である。俗悪な玩具。なるほど。それからいまや嘲笑されている。なぜ。答はなくて、天につらなる雪けぶりだ。僕のまえの富士とおっしゃるが、いったいどこに富士が見えますかね。僕には裸美人の前で照れているハゲあたましか見えない。

子供はつぶらな眼をひらいて富士そのものを見た。詩人はおのれの衰えた脳味噌しか見なかった。これは子供の大人に対する勝利というだけのものではない。民衆の既成観念に対する勝利だ。しょっぱなからおのれの感覚が透徹しない域があることを計算し、対象からわざと自分を遠ざけ、なげやりを素朴に見せ、老巧に見せようとする助平根性が敗北を一層醜いものにしている。現在の瞬間に燃えつくすことを避けるようでは、作品の運命は書かない前からきまっている。金子だけではない。この老人性の斑点は特集に参加した他の詩人たち、岡本潤や壺井繁治の作品などにもしばしばお眼にかかる。歴戦の盟友たちよ、どうか茶人めいた思出話なぞにふけらずに、問題を端折らずに、ぶざまにも雄々しい戦闘をくりひろげてもらいたい。「富士をとりあげたことは有意義だ」などと僕は断じていわない。萎縮病はサークルの稲にもある。

民衆は黙ってダルマの茶碗を選び、富士を「神さん」と断定し、そしてそこでとどまっている。この地点からダルマを歩かせ、富士を動かすにはどうしたらよいか。それには専門家が素人に技術を授けたり、民衆ばんざい！　と叫んだりしたって、どうにもなるものじゃない。僕は単純な方法しかないと思う。僕の素朴さを彼等の素朴さと衝突させてみることだ。その勝敗に素直に服従することが芸術の究極の発展を保証する。僕が負けるとばかし決ったものではあるまい。九十九点とられても一点はとるかもしれない。だから僕は詩を書く。百分の一の勝利を歌う。僕は民衆の部分だ。民衆に属する者だ。だから僕の勝利は民衆の勝利だ。逆もまた真。

こういう言い方をするとすぐ論理のつじつまを合せるのにあくせくするお針子みたいな人間が飛び出すから、あらかじめ警告しておく。「純粋な現象はありえない。」これはエンゲルスの言葉だったと思うが、裏を返せば、言葉のわなに落ちるなということであろう。スターリンはいう。「共産主義者は水晶のように純粋で透明でなければならない。」現実は言葉よりすこし純粋だと彼は言っているのだ。「純粋」なんてありえないと覚悟した人間が「水晶のようにあれ」とおのれを鞭うつとき発見するものが現実だと二人はいう。必要なことが言えておれば、同じことを言って逆な表現に達しても何をうろたえるのかという精神を彼等からまなべ。そういう度胸のない人間が詩を作ると、世界はひょっとこの面に似てくる。

したがって素朴の反対は難解ではないことも一言つけ加えておく。資本論は素朴かつ難解だ。マルクスは資本の秘密をあれ以上正確に分りやすく説く術があるなどと考えてはいなかった。彼は数学の答のように必要かつ十分な叙述を心がけただけである。ただこれは別の問題がすこし入り組んでいた。彼は他人の混乱まで解いてやらねばならなかった。民謡は素朴で分りやすいなどと言う人間がいる。素朴にはちがいないが、分りやすいとはおめでたい限りだ。南九州でなぜダルマの茶碗が売れるか、これは分りやすくない。試みに知っている民謡の二つ三つをそこらの前衛芸術とくらべてみたまえ。気の毒みたいなものだから。素朴の反対は頽廃。これは動かぬ定義だろう。

資本論は全地球を動かした。リーダーズ・ダイジェストは駅の売店にぶらさがっている。この違いは素朴の強さいかんにかかっている。すなわち、創造に必要な一切の手続きをがんこに守りとおすことにかかっている。民主々義とは素朴を貫徹する方法の謂である。では我々もスクエア・ダンスの弁当開きにふさわしいような詩に火をつけて、民衆のなかのダルマ、富士のなかの神さんと格闘してみようではないか。

おそらくそこでぶっつかるものは「古典」だろう。しかもそれは宮廷風の平衡感を保った古典的観念を裏切るものだろう。いわば夷狄の感覚だろう。僕は瀬戸物屋からまなんだ気がする。――伝統的観念をくつがえすものこそ真実の伝統、民衆の伝統にほかならぬ。(一九五五年九月)

III

詩の時評とは何だ。いわば詩の政治みたいなものか。政治には二種類の仕事がある。各人の時計を正確な時刻に合せるための報知と時間を能率化するための方法の教示と。後者は往々現実を動かさないで時計の針をいじくる技術論に陥る。ところで僕は、進歩という概念の最大のおとしあなはそれが断じて理念から始まるものでないことを忘れやすい点にあると思っている。芸術の最初の任務は理念の偉大さと理念の限界を同時に規定することだと考えている。そこで新案の能率法を提唱する気がないとすれば、せめて時報でも鳴らそう。老いぼれ小使が引っぱる学校の鐘のように、間がのびてじゃけんな時報に専念しよう……こう考えているうちに三月過ぎた。浪花節風のエピローグを言えば「これで私は時間です。」

さて、この頑迷な鐘に向って現代の特徴は何かと問われるなら、僕は——原子力と性の自由と国際交流をめぐる初歩的な展開の時代と答えよう。つまりそれは人間の言葉が人間の重みに耐えかねている時代、ある孤立した独特の生活方式のみでは救うべくもない語感喪失の時代、カナカ族からチベット族まですべての人類が何十年も互に喋りに喋ってみることだけが言語の将来にかすかな希望を与える時代……三題噺に移ろう。

原子力——たとえばあのキノコ雲と称されるやつ、あれを何と表現したら僕の心は収拾できるか十年間も見当が定まらぬうちに、もう人工衛星だ、原子核融合反応だ。バベルの塔が落ちかかってきた。これはたまらぬと思っていると、アインシュタインだって未来に関しては小学生みたいにたどたどしく語っていることに気がついた。

そうだ、原子力の詩人に対する意味は「たどたどしさ」なのだ。長い時間への忍耐なのだ。世界をもみくちゃにしはじめた激しいエネルギーに対して、僕らはまだ一種の野蛮人であることを忘れてはなるまい。僕にはどうも原子力そのものの文学に与える影響から水爆被害の方へ、死の灰詩集の方へ、スペンダーの短文の方へとたちまち傾斜してゆく気の早い討論を追っかける気分になれないのだ。いかに僕らの蛮語が震えているか、日蝕を迎えた土人の叫びに似ているか、まずこの事実を親しく観察しようではないか。

彼の前ではすべての言語が一度青ざめたのだ。彼は表現の致死量を越えさせた。そしていかなる言葉がいかに残るかと世界の詩人に迫っているのだ。このとき急いで決定的な断案を下そうとするのは、僕には時計の針いじり以上の賢さとは思えぬ。今はただ空しくとも何万回の言葉の槍を投げに投げて、小さな成敗を論ぜぬがよい。ともかくも我々は原子力の下なる地上の生活について最初に歌った集団である。これはちいさな光芒を放つ、苦しい記憶であり、太平洋の神話であり、そして原爆はわが民族のトーテムとなった。目下の時刻はそういうところだと僕は思う。大切なのは沈著な野蛮人の面魂を失わぬこと、詩人の苦労は始まったばかりだ。

そのつもりで見ると「現代詩」八月号の「原水爆をうたった子どもの詩」はすばらしかった。

原子力時代の弁証法論理がすでにここから始まっている。十三篇の詩は世界中のすべてのおとなの原水爆に関する作品をたたきのめしてサッソウたるものがある。これに反して、さがわ・みちおの解説はもっともらしい教養をふんだんにふりまくほど真赤な嘘になる講壇哲学の見本。

性の自由――「詩学」八月号が戦後女性詩人特集をやった。興味ある試みだったが、その意図が明確でないのが惜しかった。女性の表現がめざましく広がっているのに、ここほど理論が観念化している場所は少いからである。民主主義の陣営にもまだ性の問題に関する隠れたペシミズムがありはしないか。僕の考えでは女性詩人の特殊な問題が存在しており、それは内容的には性と民主主義の結合点の問題であり、形式的には国語に存在する語法上の性別の問題である。

極端にいえば女性詩人はなお男性の論理と言葉のワク内で創造しており、その呪縛から逃れようと激しくもがいている。しかもその方法は複雑に混乱しており、絶望のあげく性の倒錯をすらあえてしている。したがってその表現は言語に対する侮蔑とあいまいな崇拝が咬みあっている。エクセントリックである。彼女らはもはや古い階級的規範（たとえば家族、国家）に強い不信を抱く一方、おのが性愛のよりどころを見出していないのだ。

女性の夢の奥にはいつも原始共産社会の幻しが横たわっている。僕は女性が台所や市場や職場のあらゆる生活のひだの中でこの幻しを意識的に育ててもらいたいと思う。おのが運命を働く貧しい階級に托して悔いない「永遠の女ごころ」とでも呼ぶべきものを育ててもらいたいと思う。

占有の観念から性愛が自由になったとき、それは集団の信頼と協同を呼びさます。性と民主主義はまっしぐらにつながっていることを歌うのは、女性詩人の当面する主要な戦場である。

国際交流――永瀬清子が「現代詩」八月号で、中国へ作品を送ろう、アジア連帯委員会に詩人を出そうと提案している。この誠実で大柄な「伯母さん」の発言には棄てがたい滋味があるばかりでなく深刻な意義がある。

こういうまともな提案をたちまち了解し、賛成し、うやむやに葬るのは日本社会の奥の手であるから、僕は永瀬のために招かれざる推薦の弁をふるっておく。考えてもみたまえ。日本から詩人としての国際的な任務をもって平和のために使いしたのは、正真正銘のところ永瀬が最初だったのだ。彼女を支える力によってアジアの詩が直接に交わる道が開かれたのだ。それは今日の段階における詩の機能の最大限を示している。だからこそ彼女は控え目に、だがはぐらかされまいと真剣に訴えているのである。

もしこの提案が組織的に系統的に実行されるなら、それは連鎖反応をうむだろう。諸民族の感覚の根部を支える連帯性と独自性を明らかにし、従来の古典観をくつがえし、汎アジア的な「万葉集」へ発展してゆくだろう。永瀬案はその方角を向いている。だが永瀬のいうように「てんでこんなものと思われるような傾向の作品」や「あまり難解なものは避けたい」という色々の取越苦労はいらぬと僕は思う。田舎の伯母さんのしゃれっ気はほほえましいが頂けない。見合写真は無意味だ。
世界芸術の未来はアジアにあるといってもよかろう。だが僕は先物買いをする気はない。ここいらしか日本芸術の出口はないと思うからだ。

（一九五五年一〇月「現代詩」）

流浪のための定着

ルネ・ギイ・カドゥ「非メタフィジック詩論」
根岸良一訳

創造は本質的に非公然の行為であるから、それが公然性を得ようとする苦悶を透してもなお楽しい。それはちょうど農夫が市場の価格に絶望しながら、かろうじて作物の成長に救いを感じるようなものである。これに反して批評は始めから価値の測定をめざしているので、頭からしっぽまで苦しい。ほとんど不毛の行為だ。なかでも詩論の批評となると、これはまるで狐が鉄砲を論ずるようなものではないか。けれどもこの本の頁を開くや、たちまち私達の心はわなにかかった兎のように跳躍する。そして詩論を読んでいるというおのが運命をさほど呪おうともしないのだ。なぜだろう。彼はスタイルの秘密というものをご存じだからだ。

カトリックであり、かつコミュニストであること……このきらめく不純にみちている、いきいきと野獣派《フォーヴ》風なブルターニュの若者の頰の赤さが語っているのは、生命のとらえ難いアミーバ運動をどのように把握すべきかという問題である。さらに生命の様式、あり方に詩のスタイルが従わねばならないという主張である。そして詩論そのものもこの主張につらぬかれて、麦の穂のように簡潔なアフォリズム、野の風のような自由さにみちている。

　生命とは蛋白質の存在様式である。エンゲルスのこの周知の命題にならえば彼にとってカトリシズムは、オルレアンの少女がそうであったように、田舎人《プロヴァンシアル》の魂の細胞膜であったにちがいない。〈スチイルは鍛える道具ではなくて、鍛冶場の魂である〉スタイルが生命の存在に不可欠の条件であることを認め、このスタイルを倫理で凝固した苦行や人工的な気まぐれから遠く、成長する生命に即してとらえるという見解はまさに共産主義者の思想である。

　そこで当然のことながら、彼は生命の歴史的空間的なスタイルである生活を断じて損うまいと決心する。彼はそこにある生活を生活することに終始する。一個の魂がふとめざめた時、偶然にもおのれの前に横わっていた時代と場所から寸分はみださないように努めること、これが生活というものの秘義なのだ。〈揺れる家！　羊飼いの小舎！　ぼくは尊敬の調子なしには、けっしてこんなコトバを書いたことはない〉〈その土台につつましさの奇蹟のない詩というものが考えられない〉これらの言葉を支えている、かすかな矛盾の戦慄は単調かつ貪欲に生活を求めた人間だけに与えられる「恩寵」といわねばならぬ。

（一九五六年七月「現代詩」）

「貞節」のたぬきわな

山代巴「荷車の歌」

山代巴の「荷車の歌」をぼくは一種の社会小説としてでなく、変形された恋愛小説として読んだ。いや、恋愛小説が社会小説であって悪かろうはずもないのだが、わが国では農村婦人といえばもうそれは一個の社会問題でしかない。人間愛の個別的意味なんかどこへやら、階層もへちまもない。それで結構「明治以来の農民の生活の表現としてりっぱな素材をも提出している」（週刊朝日評）ことになり、みんな口々に賞讃しながら、あっさり忘れていく。褒めることによって忘れる権利を得ようとしているのだ。その責任のすくなくとも半分は作者にあるだろう。

誰もがほめているのはこの小説の弱点をなでさすっているのだ。それは作者が農婦の愛の内部に断乎終始して社会的エネルギーを探ろうとせず、しばしば安易に社会経済史的な説明に頼っていることだ。主人公はいわゆる孝女節婦型であり作者はその愛を支えている頽廃をむちうとうとしていないから、ぼくはしきりに孝女節婦の社会経済的基礎というような奇妙な主題に追っかけられて弱った。

そもそも農村では性的にやや奔放にみえる婦人の方が思想の上でものびの良い素質をもっている。これは実践にあたってもちょっと大切なかんどころであって、「精神の解放とは何を意味するか」という点で興味のあるところである。孝女節婦は彼女自身が犠牲者であるだけでなく、他人の解放に対しても積極的な妨害者であることが普通である。

しかもこの孝女節婦たるや農村ではその発生条件がほぼ一定しているように思うのだがどうだろう。たいていそれは実力のわりに身分だけがちょっと高く見られているような〝上ずった意識〟の産物である。「山も十町ばかり持っている一町百姓で先祖は尼子の家臣」のセキの家と、先祖は平家の残党で自分は石工になって歩き家柄の自慢だけを残して死んだ茂市の父系……これはいずれも「嫁は納屋の隅からもらえ」というぼくらの地方のことわざが持つ真理を知っている人達ではないようだ。

一代の辛苦ののちセキは「茂市さんと暮した五十五年を通じて、一番よかったと思い出すのは、県営造林の仕事をする仲間がオーイ、ソリなおしの婆さよう—餅う焼いて出しっしゃー正月どーと呼び、……持ってまではよう行かんけえ食いにどま来っしゃーと叫べば、みんなで大笑いした、あの明るい気楽さだ。という認識に達する。彼女の心は初めて複数の異性〈なかま〉に向って開け、彼女の貞節に一筋のひびが入ったのだ。セキにくらべれば茂市の方がはるかにまともな農民の欲求と、時には労働者的な魂の片りんさえひらめかす。また茂市といっしょに風呂に入ってふざけるリヨという女にかえって健康さがあるのはなぜだろう。
夫婦であろうが愛人であろうが、相手を自分のものとして独りじめにしようとする占有欲といかに根本的に戦うか、それを歴史的に征服するか——これが農村と都会とを問わず日本の恋愛の直面している課題ではないか。とすれば、作者はまず主人公を否定的な光のなかにとらえねばならなかった。われらの仲間の女たち、われらの仲間の男たちという相互に愛しあう複数の関係こそ、正常な恋愛の母体である。広義の性愛はその所属する全組織、全社会階級に向ってしみとおってゆくものであり、個々の恋愛はその性愛を集中し収斂するレンズともいうべきである。一対一の男女関係から民主々義や純粋な愛情をひきだそうとする十九世紀的観念を棄てるところに、新しい愛のテーゼが存在する。この点に関し自分の見解を明確に引きしぼってみせるべきであった作者は、出発点においてみずから貞節のワナにひっかかったのではなかろうか。

（一九五六年一〇月二二日「東京大学学生新聞」第二七六号）

兵士の恐怖は怪物にならぬ

壺井繁治詩集「影の国」

「頭の中の兵士」

井上光晴詩集「すばらしき人間群」

「革命の一兵士」という言葉は詩人壺井繁治と井上光晴のために与えられた額ぶちといってよいほどである。彼等くらい被支配階級のうちにいわば先天的に存在する恐怖……もっとも壺井の場合は支配階級に対して、井上の場合は革命党に対してという風にその方向が異ってはいるが……を真率かつ常識的に宣言した詩人は少いであろう。このなまなましい恐怖への反応こそあえていえば兵士の属性ともいうべきものであって、まちがっても将軍になどはなれない資質といわねばなるまい。

もちろん私は兵士と司令官に全き等量の権利と義務を認めているが、機能的見地からいってやはり彼等に恐怖を常食とする心やさしい怪物の精神がないことを惜しむ者である。

たとえば壺井が自身を勇ましい兵士として規定するとき、かえって単なる市井の常識人にすぎなくなる事実は吉本隆明の『戦争責任論』によって手ひどく論難されたアキレス腱であったし、そのことは最近出版された時事詩集『影の国』でも何の陰影もなく照らし出されている。彼は恐怖といっしょにおのが肉体をもどこかに遺棄してしまった。けれども吉本理論もまた一個の常識にすぎなかった。彼は常識がただの一度でも回転すれば（芥川竜之介くらいには）しつこい味を持つことができることを忘れかけた。

その証拠に壺井が最近出したもう一つの散文詩集『頭の中の兵士』は断乎として孤立し、断乎として悲鳴をあげ、断乎として敗北するボードレエル的反逆の常識にみちつつ、そのイメエジが頭からしっぽまで「巨大な複数におびえている個人」で貫かれることによって、すなわちあまりにも律儀に百八十度回転していることによって健康人の狂気とでもいったものを感じさせる。

ともかく壺井繁治という詩人はこの一冊の中で生れかつ滅んだといってよいのではないか。井上の近刊『すばらしき人間群』は実は十年もさかのぼる、私的にもなじみ深い秀作が多いのだが、そしてそれらは壺井よりもはるかに敏感な条件反射を示しているけれども、究極のところ一兵卒の叙情である。眼が一つしかない。やはりこれは小唄であろう。

（一九五七年三月一六日「図書新聞」第三九〇号）

ある博物誌の一節

山内竜詩集「暗室」

みずから希望していないのに、ほぼ完全に孤独な状態にあるひとりの若い労働者を想像しなければならない。戦争が終ったとき、彼は二十歳にみたなかった。小さな欲望が彼の胸を焼いていた。それは少年が学んだ田舎町の周囲、とくにそのあやしげな実業学校の教師と生徒のすべてをとらえていた独断であふられ、煙を出していた。この臭い棘をもつ奇妙に偏執的な思想とは、「おれがおれでない」ことを証明しようとするものだった。一人の金持の息子もいず、一人の天才もいない辺境の中等学校がどんなに異様なものであるか。そこから乱雑で多彩な自尊心が生れたことは不思議ではない。つまりこの学校は創始されたかと思うとたちまち閉ざされた十年足らずの間に、粗末な工農の技術と共に、はげしく正統思想をこばみ、独特の香辛料を加えられた諸観念を作り上げることに長じた、多数の工人たちをうみだした。彼もその一人だった。

おれはおれではない。単に実直で気ぜわしい労働者や百姓の小せがれではない。大工の子はキリストだ。すべての木こりはリンカーンなのだ。この思想の中間製品とでも名づくべき状態は西南九州に発生した最初の労働者意識といってよかった。彼等はこの地方に固着した第二代の労働者だったから。このいびつな先駆者の精神は今なおこの町の革新派を支配しており、果物の皮膚をした少年たちをはげしい清算主義と極左主義の骨で緊張させているのである。貧農の特長をこれほど完全に内包した労働者の群は珍しい。敗戦後の地方の条件はまずこの層に激励をあたえ、その渦のなかで彼は人並はずれた屈辱感につきとばされ、急進派の旗手として最前列によろめき出た。断っておくが、それはあくまで旗手であり司令官ではなかった。彼がその頃どんな希望を栄養としていたか知る由もないが、おそらく問題は誰かが旗をささげねばならなかったのだし、冷酷な歴史の求心力がこの敏感な二十日鼠の動作をつかんだにちがいなかった。

敗北は早かった。一九五〇年よりも早かった。間一髪の差でそれが化学工場のお屋敷から追放されることを免れさせると共に、例の誇り高い同族たちから戦場で旗を棄てた旗手として遇せられる原因となった。彼のそもそもの計算が誤っていたことを理解する者は全くなかった。要するに彼等と同じく彼もまた自分自身でなくなることを求めていたにすぎなかったのに。だがひとつの現実的思想はなんと古典的な正統性の上に立つことを強要することか。彼の誤算はここにあった。それは彼の望んでいる種類の新しさ、いわば人造宝石のかがやきを与えてくれはしなかった。正確な意味で彼は浪漫派だった。イスカリオテのユダだった。彼こそ真の実存を求めた者である。不断につづく首切りの恐怖と脱落者の烙印、それが数枚の銀であがなった唯一の商品である。ほとんどそれは彼がみずから敢えて望んだ状態のように思われる。

最初の旗手が最初の転向者であること。それは激越な思想が吹き過ぎたあとに取り残される砂丘の普通の形ともいえる。だが転向の悲劇とは本質的に事態をそのように客観化することを許さない点にある。我疑う、その我を信じられなくなった彼は、自分の眼で直接自分の眼を見ようとする果てしない矛盾に襲われる。彼はもう鏡を持たない。すべての戦士は敵を鏡として微かに身じろぐ自己の内部の小さな敗北の連鎖を照らしつづけ、それによって真の戦士たる自己を保持するのだ。しかし彼はそれを確認する術を持たない。転向とは自己を告発する足場を失うことにほかならぬ。

こうして彼は再び孤立者たちの中へ帰っていった。刺すべき敵が自分自身でしかなくなった一匹の蜂として。草深いモダニズムと労働の実存と肉体の原始性で巣をきずくために。彼を笑うがいい。笑うことを精神の衛生法とする者は笑うがいい。ここに転向を主題とする一冊の詩集がある。いかなる善意も悪意もこの本を救うことはできぬ。

党員Tよ　これっぽちひみつな
賭けをゆるさぬあなたの自由
ゆるさねばゆるさぬほど
ふかまるこどくのやりばがなく　さりとて

どこに共通の賽の目をもとめよう

私は答えない。歯をくいしばって答えない。うたがいもなく、地獄は、彼がみずからを「よあけの生贄」と呼ぶかぎりつづくだろう。彼は自分からそれを言ってはならぬ。自分を告発することによって他人を責めようとしてはならぬ。被害が何だ。救済が何だ。我々はあくまで現実世界への加害者として生きよう。我々の故郷の暑い日ざしのように。

(一九五七年四月「日本未来派」七五号)

あじあ人の従弟として

パブロ・ネルーダ「大いなる歌」

数週間まえ何気なく新聞を見たら、ネルーダが捕えられたとあった。何度目かは知らぬが、やってるなと思った。妙なことに、それは当然なのさという声が心の中でした。僕が警視総監であっても、彼のような男はちょっとつかまえてみたい。逮捕に値いする詩人などそう多くはないものだから。

原語で読んだことはむろんない。「きこりよ、めざめよ」とこの「大いなる歌」の翻訳、それにアラゴンが彼を大事な宝石のように扱っていた詩、それだけが彼に関する知識の全部である。けれども僕には彼がチリーにいる従兄弟の片割れのような気がする。相手には迷惑かしらないが、あんがいこの男は南米でおれと同じ風のやかましい注文を抱きつづけて他人を困らせているのじゃないかという気がする。

もちろん僕はアジア人だから「あいつ」のようにふんだんに銀色の言葉は使えない。宝石の趣味という点では僕は高尚な方ではないし、此処には石も少いから。だがアラゴンなどの才気と優雅と男らしい音楽で支えられた金細工よりは、この馬の毛の匂っている銀のブローチの方が一層名誉あるものだという感じ――これは動かしがたい。

南の衝撃に叩かれたたかれした
樹皮を　わたしはとおりぬけてきた
わたしは馬の頸を感じてきた

おお！　チリーの海　高い
水　するどい火のようにかこまれた
緊張と夢想　サファイアの爪
おお！　大地の　宿命の　獅子たちの動転！

沈うつで物思う旋律とたちまち疾駆するリズムのめまぐるしい交替、これこそ革命的実践家の網膜の秩序である。こんな人間は政治から詩の方へ歩くというようなことをしない。彼自身が閃光であり竜巻きである。身動きひとつすれば、警官は横面をはりたおされたような感じを受ける種類の人間である。つまり一種高度に微妙な中毒症状とそれに対する自意識……運動選手の筋肉のようなものである。ここのところが理解できない者には、ネルーダは永遠に分らないであろう。

翻訳についていわせてもらうと、最近の詩の訳には何か一定の節廻しがあるように思う。どうもそれは音綴や韻律に忠実であろうとして、イメエジの運動にふたしかな訳語をあてはめることになっていはしないかと疑う。ある程度音楽を犠牲にしても、イメエジの正確さを期すことが必要な場合も多い。でないと習慣的な詩語の使用が氾濫することになろう。その点、この本の訳者をふくめて希望しておきたい。

（一九五七年六月「現代詩」）

一日おくれの正確な時計

野間宏「暗い絵」

中日戦争が始まったころ中学生であった私たちと『暗い絵』の世代は十年と隔ってはいない。けれども私たちが高校や大学の門をくぐったとき、そこにはもう「青春とは抵抗である」という彼らの残した抽象派の絵画めいた命題がすべての思想体系から切離されてあるだけだった。それは昭和十八年秋のいわゆる学徒動員によって飛散した古いぶどう酒の底の一滴ではあったが。もちろん例外はあった。しかし時の力を問題にするとき、例外が何の役に立とう。つまりそこには思想のリアルな正統性のかわりにいささか飛躍した心情のロマネスクがみつかるにすぎなかった。『きけわだつみのこえ』を読んだ者はたやすくこの空気を理解するだろう。ただ学生の多くは軍隊の形式主義や非人間性を嘲笑し、憎悪することでは人後に落ちなかった。それはなまじイデオロギイの助けを借りないものだけに混沌として切実な本能のさけびに近かった。戦死した亡霊たちの代理人として、このことは言っておくべきだろう。右翼に対抗する有形の左翼は私たちの学生時代にはほとんどみられなかった。しかし学生の絶対多数は最後の瞬間まで右翼を軽蔑していたことを。それはやはり古きぶどう酒の香りのなせるわざであったろうし、これくらいの事実も時が経てばかなりの証言を必要とするものである。

あいつぐ歴史の衝撃に内臓までかき乱された栄養の悪い労働者や不当に年をとった学生として私たちは戦後の日々を歩きだした。そして日本最初の量的な左翼を形成しはじめた。大部分の者にとって左翼の感触はおろか概念すら明らかでなかった。唯一つはっきりしていたのは法則性を無視してきた社会と自分に対する言いようのない憤激だった。私たち、四〇年代前半の学生と『暗い絵』をふくむ三〇年代のそれとの間に横たわるものを何と呼んだらよいのか。それは「絵」と称するにはあまりにもいらだたしい野砲の弾道のようにひずみに満ちつつ自己法則を貫徹してゆく力の軌跡に似たものであろう。私たちはむしろ学生としてでなく労働者としてあるいは真実飢えた者として一定の思想生活の中へ入りこんだ。この事情は私たちに近い『暗い絵』の世代にとっても異様なものであるにちがいない。だがこの異様さこそ現代日本の知的文明にひそむ断層と亀裂を解くあんがいな鍵ではあるまいか。思想の一種のアカデミズムが戦争によって崩壊したとき、青春が強烈な墓場の匂いを立てていたとき、私たちは完全なアマチュアとして育っていた。私たちが『暗い絵』の審判者になりうるような地点はおそらくそこにしかないのである。

もちろん私は世代論などというものに格別の興味はない。しかし日本の文明を考える場合、階級間の対立だけでなくさらに細い層の対立を吟味する横の尺度が必要であるように、各世代を表示する時計の標準時が一々異っている事態をどうしても整理しなければならないような気持になる。たとえばマルクス主義というものに厳粛な、というよりもむしろ敬虔な傾倒の念がつきまといやすいのは、おそらくマルクスが力強く一切の神聖さをふみにじった結果、彼自身にほとんど人間喜劇の影をとどめなくなったという理由によるのかもしれない。私などはアパッチ族の襲撃を童話に仕立てたりして娘に話す彼に悲劇を感じるくらいで「すべてを疑え」という格言なんかユーモラスで健康な彼の唾の一部分だと思う。けれども日本の知識人には反共の立場を持つ人々の中においてすら、しばしば共産主義とその党に対する一種の限りなき純情を発見して、私たち戦後の党員をおどろかせることがある。そこにはやはり思想自身の性格というより日本の知識人を立たせている条件にいわば貴族風とでも名づくべき倫理への偏倚があるのではないか。

とくに一九三〇年前後に青春を通った人々に多く感じるのだが、生活信条に関する東洋的発想を潔癖に拒みながら、なおかつ絶対的な基準の存在をあきらめきれない面持ちで究極のところ「東洋の騎士道」に落ちこんでゆく過程ははなはだ興味深いものとはいえまいか。なぜなら、彼らのこの「西欧の没落」はアジア固有の観念論と四つに組んでそこから進歩の契機をひきだすという課題を避けたために起ったものであり、彼らの合理主義と民衆の混沌を隔てて存在する壁を自ら作りあげた原因であるからである。だから三〇年代の転向という問題を測るとき、間違っても持ち出してならないのは単なる節操という尺度であると私は思う。彼らこそ節操という純粋概念の信奉者であり、そのゆえに彼らは転向したのだ。

このような思想の古典的正統性が崩れ去り、しかもそのことに人々の知恵はまだ気づかず、炎の最後のゆらめきが四囲の暗さを照らしだす、それが『暗い絵』の季節であったことは今日の常識である。だから彼らにもなおあの限りなき純情が残っている。しかも他方肉体の深いところに崩壊を知っているものがある。潜在する意識、知覚の末梢部ではすでに崩壊ののちに生きる準備を始めている。人間のしぶとく健気な生存への意志がもう前世代が眼のかたきにしながら越えられなかった「倫理」のワクをはみだしている。意識と無意識・下意識との闘いが始めて問題の表面に躍りだす。その後の野間に長くフロイトの幻しがついて離れないのは、こんなわけだ。

ではここで道は二つに分れるはずだった。日本の若い世代はようやくにして第一次大戦後の西欧戦後派が得た出発点に似たものを獲得していた。そこから進むとすれば無意識・下意識のものや単なる形象化ではなく、その論理化の道（たとえばエリュアール）か、その倫理化の道（たとえばサルトル）のいずれかを選ばねばならなかった。だが崩壊したのは古典的正統性だけではなかった。その崩壊を知る者もまた崩壊した。そしてあの青空のような無、私たちの世代が登場する。

最も無知であった者が審判者の席につくというのは、つらいけれどもこの世のおきてである。もしそれがなかったら永遠に究明することのできない一点が存在するからである。すなわち私たちは自分のなかの虚無がどのような形と色と香りを持っていたか検証することによって、良き裁判官になりうるとひそかに自負している。崩壊につぐ崩壊のあとに残った私たちの無とは何であったか。それはニヒルでなくてアーナキーだった。アナーキズム、東洋風の優しさと狂暴さをたたえたサンジカリズムの兆候……戦は終った。戦争はアカデミイを破壊したばかりでなく、反アカデミイをも破壊し、その両方の閉鎖性をも同時にふみにじった。密林のしゃれこうべで飾られたこの贈物に感謝すべきである。

私たちが純情さの装いにかくれることがあっても、それが怒りのまっとうな表現であることを知ってもらいたい。私たちは幸運にも亡霊の代理人として生きながらえ、みずから望まずしてほぼ完全な大衆のひとりとなったのだ。そしてそこが出発点だった。だから前代の知識人の純情さをどうして許すことができよう。なぜ彼等は党を責めないのか。おのれの全力量をあげて党に要求しないのか。

「人民戦線は破れるよ」

「俺は人民戦線は好かんよ」

そこで向いている刃の先は人民戦線の方へではなく、いわば自分の無力さの方へである。だが知識人の無力と労働者の無力とは果してどうちがっているだろうか。そして昔も今も日本の問題は人民戦線というテエマをめぐりめぐっているのだ。唯一つの標準時をまだ持たぬこの国で、あの金貸し親父の娘であるきりきりした未亡人は今どんなエロスに悩んでいるか。時計はやはりそのあたりに合せるべきだろう。

（一九五七年六月一五日「九州大学新聞」第四〇四号）

現代詩鑑賞

才所三正「寂寥」

道には乾きながら匂いを失っていく
馬の糞があった
男はそれを跨いで
空気銃で
小鳥をうった
小鳥は私の方に
傷口をちらちらさせながら
落ちていった
私は帰って眼を
硼酸で洗った

（泥8号）

まず詩の読み方について一言。

詩は小説や戯曲とちがった読み方をしなければならない文学です。小説では作者がそうであるように対象に向って客観的というか第三者的というか、いわば冷たい関係を保たなければなりません。いわゆる私小説でもそこでは私が主人公と作者という二つの人格に分裂しております。すなわち、対象と読者の冷い関係によって見えてくるさまざまな事態が小説の世界なのです。これに対して詩の場合は対象と読者は熱い関係、つまり対象と読者が互いに侵しあい、いりこむような関係であり、対象そのものの位置に読者が立たなければ見えてこない唯一つの事態が詩の世界なのです。唯一つの、と申しました。そうです、戯曲では通常作中人物は複数であり、その人物達はそれぞれの世界を代表し、互いに対立し、その結果生れた事件が人物達を新しいもう一つの世界へつれこんでゆくのですから、AとBの世界をCの立場で見ることも、BとCの世界をAの立場から見ることも同時にできるのです。しかし詩の場合は一見AとBの世界が異るようにみえても究極のところその世界をイクォールでつないでいる関係、その本質の発見が問題なのです。いわば最も粗雑な数式であらわせばA＞Bが小説であり、戯曲はA×B＝C、詩はA：B＝K（常数）とでも言いますか。常数の発見、それが詩の最初の任務です。そしてこの常数そのものが世界の変化と共に時代的に動いている、といえばもう議論がむつかしくなります。上記の実例に移りましょう。

作者は福岡県柳川市で発行されているガリ版ずりの詩誌に集っている若い人達のひとり、一、二度会ったことがありますが、無口で熱情的なその地方の農民のタイプを受けている青年です。この詩で第一に気のつくことは、冒頭に馬糞の描写をかかげることで、そしてそれを一またぎすることで、農村の不潔さに耐えている青年の表情があることです。彼は馬糞をきたないとは言わない。それはやむをえないものだから。しかし讃美することもしない。それは逆説にすぎず、嘘にすぎないから。我々はそれをひそかに観察しながら、今のところ平然と無視するよりほかはない。こんな心理の揺れ方が始めの三行によく出ていると思います。

第二に男と小鳥と私の関係です。この場合男と小鳥のどちらが私に近いのかというようなせんさくは、始めに言ったように詩を小説や戯曲の側に近づけて読むことにほかなりますまい。男は加害者であり、小鳥は被害者です。そしてその風景を見ていた私は男でもあり小鳥でもある、というより男と小鳥の関係そのものの所有者なのです。ひとりの人間は常に同時に加害者であり、被害者である。それは馬糞をひとまたぎして狙撃する男のなかに、傷口をちらちらさせて落ちる小鳥が住んでいるという発見であり、世間一般の善悪の基準に対してもう一枚ねばり強く高度な認識を得た瞬間です。そのとき青年は「私」に帰ります。彼はもう男でもなければ小鳥でもない自分自身です。そして青春の一場面が与えてくれた焼きつくような印象をそっと冷やし、そのまま壊さずにしまいこもうとするのです。その秘やかさが題名になっています。

もちろんこの作品はあまりにも短篇であり飾りもないので、こんなものなら簡単にできるとお考えになる方もあると思いますが、そうは問屋がおろさないと御覚悟ください。あるいは、そういう私の放言に反撥してこの作品をのりこえられる方が出来ることを期待すると申上げましょう。

ダイアモンドでもなければ金銀細工でもない、わずか十行の青春のメダルを得るために私たちが失わねばならぬものの大きさ、それはゲーテにあってもこの作者にあってもほとんど変りはないでしょう。

それを私は「常数」と呼んでみたのです。

（一九五七年八月一五日「群」二一号）

機関車から詩集までのちいさなスリップ

松田軍造さんをたずねて、森崎和江君と私はあまり広くはない吉塚機関区をしばらくうろうろしました。何度も修正されているデッサンの線のように、扇形にひろがったり、かすかな弧をはじいたりしているレールのあちこちに、象か獅子みたいなどっしりした顔つきで、色々な種類の機関車が動き、また眠っているのでした。その何も引っぱっていない力強く軽快なやつにふさふさした尻っ尾でもつけてやるんだといわんばかりに、さわやかな色あいの作業服が群がり、働き、また歩いていました。私たちはもの珍らしげに洗濯場の土台石から吹きだす蒸気をみつめたりしました。たぶんそれは早春の空気がかもしだした特別上等の瞬間、労働のよろこびがさまざまの障碍を浸透していつのまにか濁った外光と剣をまじえ躍っている時刻だったのでしょう。しかし私はこの戸外労働がたとえみぞれのなかでも、その堂々とした本質を失うことはあるまいと考えました。職場から追われた経験を持つ人間にある奇妙な触角で、立派なやつらだな、と思いました。機関車と人間たちに対して。線路の上をつい跳びはねてみたくなる、あの心理はいったい何でしょう。おそらくそこには常に危険の小さな可能性があり、それが魂を鼓舞するからです。機械と労働の間柄はよく云われるようにそれ自身で人間を押しつぶすメカニズムという風になるのではなく、主として制度——生産関係によるのだということが苦もなく直観されるのでした。ようやく探しあてた松田さんはもうすぐ汽車を動かして地図の上では小指ほどの支線の奥へ消えるという別れぎわに『門鉄詩集』への感想を書くことを求められました。それで濃緑の本がいま私の机のうえにあります。

この一冊を読み返しての印象をいえば、前に述べた風景のなまなましさがどうしてこんなにもかすれてしまうのだろうということです。感覚のいちばん始めにあるもの、アルファベットのAというような強く単純な驚きの声がきかれないことです。私はどんな原始的な感覚にも階級性の刻印のないものがあろうかと固く信じている人間です。いや、方向性を決定する因子はそこにしかないと考える者です。まだ動かない車輪、一声の汽笛、しかし東京行か鹿児島行かはもう定まっているのです。その先にも問題は数多くあります。けれども、労働の手触りというものが最初にして最後の鍵でありましょう。もちろん、十年の努力と成果を秘めたこの詩集にすぐれた要素はたくさん見られます。なかでも私が感じるのはいかにも国鉄労働者らしい密度の重さ、そして何気なさです。ただそれが遠くから伝わってくる響きとシグナルの赤の組合せにすぎず、眼の前で親しくなでまわされた物質感にとぼしいことをすくなからず残念に思います。

とはいえ、長い間にいつのまにか戦慄を失ってしまった労働の慣性を破ることには言いしれぬ困難があります。熟練労働というものはいくらかその慣性を利用するぐあいにできているでしょう。だから慣性そのものが全部悪いわけではありますまい。いうまでもなくその慣性をとり扱う機構、制度の方向が問題です。けれども、そのゆえにこそ詩人は未来の新制度に期待するだけでなく、現在の瞬間において労働の慣性を根底からひとつひとつ疑い、検めるべきでありましょう。たとえば駅長か助役が機関士から丸い輪のようなものを腕に抱きとったのち、ちょっと懐中時計を見て、それから下向きに歩き去るときのあの「してやったり」という表情はなんとなく美しく、にくらしい。労働と詩の側からみれば、あれはいったいどういうことですか。そんな現象を数知れず突きさして揺れているあなたがたを私は見たいのです。

（一九五八年四月三〇日「かがり火」一号　門鉄詩話会）

おれは砲兵

谷川雁

海べにうまれた愚かな思想　なんでもない花
おれたちは流れにさからって進撃する
蛙よ　勇ましく鳴くときがきた
頭蓋の窪地に緑の野砲をひっぱりあげろ

神経のくぬぎ林が萌えだす月曜日
影のようにそよぐ寺院をねらうのだ
みろみろ　敵の砲弾は村の楽書をぶちこわし
もやのなかで咲いたあやめが処刑される

電話はどうした　星は青く空は黄に
それその土色にめまいするわらびにつなげ
たてよこに蜘蛛の巣をこぐ舟からは
大昔の戦闘命令を鼻歌まじり

うみともつかぬ汁ともつかぬ霰弾をふらす
空想的社会主義の地獄版め
純潔にしがみつくあの鶩もやられたか

よし　下男の夢で大地をうち鳴らせ
裏切りの三角法は計算ずみ
まっぴるまのどしゃぶりを射ちこんでやる
お望みなら夜明けの棕梠にはりつけも

娘は運転手を熱愛するくせがあり
おとなしい子供らが大工になるこの町で

燃えさかり攣きつる炎はてらしだす
おれたちのなかの癩を　世界の癩を

杙をぬけ　竜胆色の露ふりはらい
まぼろしから覚めたきのこよ　馬を呼べ
匂を嘔く物語をかかとにこすりつけながら
すべての汚辱といっしょに移動しよう

とどまる砲兵には死があるだけなのだ
蚊ばしら立つ炭焼党の都の方へゆっくりと
左へ　さあ輓馬の鞭をふりかざせ

代表作とは何か、よく分らないが自分の悪癖がはっきりしているという意味で選んだ。五五年五月に書いた作品である。当時私は胸の手術を受けるため入院していた。共産党のいわゆる六全協決議が発表される少し前のことで、私とほぼ同じ頃誕生した党にとってやはりある種の手術が避けられないことはすべての風聞から隔絶されている草深い病室の中でも感じられた。それを言うのは先見の明などという相場師の美徳にまぎらわしいことがらではなくて、革命党と世代を同じくし病の深さを同じくする人間に微かにきらめく誇りのようなものを伝えたいからである。自分の青春と党の青春がだぶっている時代はそういつでもあるものではない。いわば自分の病患は党および民族の悪弊と波長を一にしていると確信できる者の幸福感に支えられて、私は歩いてきた。自分と党との間が正常でなかった数年間、私は自分を党員でないなどと考える不自然さに侵されたことはなかった。こういう認識の態度はまだ日本人になじみの少いものかもしれない。復党を主張する人間が「しかしおれはまだ党員でないから何をしようと自由だ」と述べているのを読んで驚いたことがある。これこそ非弁証法の見本というべきものであろう。けれども悲しいかな、今日は形式論理の隆盛期である。批判の自由が保証されたのちに起った武装反乱を「自由への戦い」と称する時節である。一定の大手術のあとで必ず訪れる清算主義的反動をどのように処理するか、苦がい思いを嚙みしめてその方途を予測していなかった者は少くとも生理学上のめくらといわねばならぬ。一般的ヒューマニズムへの侮蔑、それがこの一篇の主題である。そしてその後の事態は残念ながら私の憂慮を滑稽なものにしなかった。

だからこれは単一の事件によって触発されたものでなく、体験の連鎖の上に立ったある種の政治詩である。したがって私はこの作品が党の規律、すなわち党内問題を不正規のルートで討論しないということに触れないよう考慮した。つまり直接政治的範疇を提出することを避け、いわば文学の領域それ自身から政治を刺そうとつとめた。それは党員でなければ直面しない性質の問題に見えながら、実は深く自由の本質に関わる方法上の一点と思われた。由来、文学とはすでに非公認の思想である。ものとものとの微妙で危険で新しい関係が言語の世界で追求されるにつれ、それが革命党の公認された現在地点の思想と当面部分的に矛盾しあうことはむしろ常態といわねばならぬ。文学に対する政治の前衛的態度とはまさにこのような部分的矛盾の存在を進んで容認しつつ、より高次な統一に至る出発点を目下の規律のうちに求めることである。いわば「尽きることのない連続性」で囲まれた外海を我々は自由と称しているのであって、規律のない攻撃は攻撃ではなく、攻撃しない自由は自由ではない。ひとりの共産党詩人が政治に触れようとするあまり、それが逆に非政治的範疇に立てこもらざるを得ないのは果して一箇の喜劇にすぎないであろうか。それが苦痛を伴わないとは私も言うまい。しかし文学と政治が規律ある対立を媒介として嚙みあうとき、その苦痛は人間のすべての自由と関るものであり、一直線に詩の母胎であることを私は証明しようとしてきた。私の方法が象徴主義的であるとか、形式が古典的であるとか言われているが、そういう尺度がどんな役に立つのか理解できない。コミュニスト詩人たる者の切実な課題はどんな微細な矛盾をも見逃さずに「表現の自由」を拡大してゆく戦闘的姿勢を保持することであろう。そのことにとって有効であるならば、祝詞でも浪花節でも結構だと思う。象徴と呼べばマラルメと答える不精な条件反射はやめたがいい。

右の理由から私はまず隠喩だけで描き切ってやろうと考えた。その弱さをむちうつために命令形や間投詞をふんだんに使った。当然それは観念の固さを帯びてくる。そこで泥絵具のあくどい色感とユーモアを少量混じえた。つまりは駄菓子製造の要領である。軍隊で輓馬十五榴に所属したから砲兵の気分はわかっている。前年に癩院へ行って道徳的苦戦をなめたことがあるのでそこの感触も入りこんだ。困ったのは第一連三行の「蛙よ　勇ましく……」が希望するほど強く反りかえってくれないことだった。その迷いが最後まで残ってしまったと思う。完成に要した時間は三十日。個室で紙屑をちらしていると、回診に来た医者がそのたびに眼をみはり、黙って帰っていった。

（一九五七年七月「詩学」臨時増刊）

あとがき（弘文堂版）

体系もなければ計画もなく、ほとんど求められるまま時間のあるままに書いてきた雑文のかたまりをここになげだす気になった。読みかえしてみると、どうも事実の誤りや表現の嘘が目ざわりになる。だが、そもそも一流のものぐさである私はさまざまな口実をみつけて、訂正することをやめにした。そのしだいをめんめんとここに並べることも、すでにものうい。

ときたま田舎町の路上で銀行の集金人だか保険の勧誘員だか忘れてしまった女性に会うことがある。彼女はにこやかに近づきながら言う。

ちかごろ書いていらっしゃいますの。

なにを、です。

（知ってますよという顔をして微笑をくずさず、猫を追うような発音で）

シッ
ええ、いま千五百行目くらいのところです。
さもあらん、ではさらばと彼女は去っていく。自分の書いた詩の行数をかぞえたことはないが、彼女と何年ぶりかに出会っても、この会話が変ったためしはない。彼女のPRのせいでもあるまいが、雑誌や新聞に引用される私の名前の上にはたいてい「南九州の詩人」といった肩書がまるでタシケントの人民歌手というぐあいにくっついていた。
いまや私は北九州は筑豊炭田の一角に住み、この本を出すことで、彼女とのなつかしくも絶望的な会話をかすかに変化させることができるのではあるまいかと夢みている。弘文堂と、そこの小野二郎君に感謝するしだいである。

一九五八年十一月七日　　　　著者

あとがき（現代思潮社版）

八宝菜のようなこの本の再版が、亀裂の五年間をへたいまの読者に何をもたらすか、私にはほとんど測定しがたい。「原点」という極微の観念を定立しなければ、この世との先験的な関係に刃向うすべをもたなかったひとりの青年があったことだけは、率直に断言しておこう。おそらく私はあまりにもちいさな星のうえに、二つの足裏さえ落ちつくことのできない球のうえに生まれたのである。

めのまえに水車を横だおしにしたような矢弦《やげん》があり、ゆるやかにめぐる鉄輪からしたたり落ちる水音だけがきこえる。炭坑の捲場裏に仮設されたピケ小屋で、旧著のあとがきを認めるという苦痛に出会うのは、偶然でしかないにもかかわらず、どこか待ち受けた瞬間という感じがある。もしかすれば私のアニマはこの瞬間を古い時の坑道から捲きあげようとして、営々とワイヤァをひっぱりつづけていたのかもしれない。

そういえば「原点が存在する」という小文の舞台になった、阿蘇の乾いたちいさな谷の河床でも、やはり私はいまのように風に逆らい、紙を手でおさえていた。私と紙きれとのそんな嫌がらせあいは、なおつづくことだろう。親切な読者に希望したいのはそこのところを読んでもらうことである。

一九六三年七月七日夜

解題

坂口博

谷川雁は、印象深い数々の名文句（言葉）を残している。本書から拾うだけでも、「下部へ、下部へ、根へ、根へ、花咲かぬ処へ」（「原点が存在する」）、「組織のあるところにエネルギーは存在せず、エネルギーのあるところに組織が存在していない」（「組織とエネルギー」）、「イメージからさきに変れ！」（「幻影の革命政府について」）、「優しさに帰ろう」（「農村と詩」）等々がある。そもそも「原点が存在する」や「「農民」が欠けている」といった標題も、強く記憶に残るに違いない。隠喩と反語を駆使した詩人だけに、内容には難解さが際立つにしても、その言葉や文章の持つ力や意義は変わらない。

「連帯を求めて孤立を恐れず」

一九六八〜六九年「東大闘争」の最中に掲げられた言葉として知られる「連帯を求めて孤立を恐れず」。全共闘運動の象徴的スローガンと見做すこともできる。

ただ、これが詩人・谷川雁の名文句の一つであり、さらに一九五八年の評論「工作者の死体に萌えるもの」に典拠することを知るものは少ない。少し長いが、本書収録のひと段落を引用する。

生活語で組織語をうちやぶり、それによって生活語に組織語の機能をあわせ与えること――それが新しい言葉への道である。そのためには沈黙する重さを表現する重さへ変化させる強大な電流の下向きの衝撃が必要になる。逆さまにたたくよりほかないのだ。倒錯は必至だ。大衆と知識人のどちらにもはげしく対立する工作者の群……双頭の怪獣のような媒体を作らねばならぬ。彼等はどこからも援助を受ける見込みはない遊撃隊として、大衆の沈黙を内的に破壊し、知識人の翻訳法を拒否しなければならぬ。すなわち大衆に向っては断乎たる知識人であり、知識人に対しては鋭い大衆であるところの偽善の道をつらぬく工作者のしかばねの上に萌えるものを、それだけを私は支持する。そして今日、連帯を求めて孤立を恐れないメディアたちの会話があるならば、それこそ明日のために死ぬ言葉であろう。

暗喩と対比法を駆使する詩人の評論である。いや、詩的散文だ。
生活語と組織語、沈黙と表現、大衆と知識人。まず、この三つが対比される。そして、谷川雁は前者に価値を見出す。しかし、ただ単に拝跪するのではなく、両者の対立から前者を内的に壊し（揚棄し）、「新しい言葉」、新しい社会の建設を目指す。そのメディア（媒体）となるのが「工作者」である。

したがって、「連帯を求めて孤立を恐れない」工作者たちは、「大衆に向っては断乎たる知識人であり、知識人に対しては鋭い大衆であるところの偽善の道」を貫かねばならない。この前提を欠いてはならない。

にもかかわらず、東大はじめ全共闘運動にかかわった学生・院生・助手たちの圧倒的多数は、最後の一節の一部のみを取り出し、大衆と知識人の問題を深く考慮することがなかった。半世紀いじょうを経てもよい。高度経済成長がもたらした「総中流化」や「総評論家（知識人）化」が虚妄でしかなく、大衆と知識人の階層分化は、かたちを変えて先鋭化している今日、あらためて、この一文を再考するがよい。「工作者」の意義は、深まることはあっても薄まることはない。

「原点が存在する」の衝撃

詩人・谷川雁の存在が、狭い範囲ではあっても日本語文学のなかで知られるようになったのは、丸山豊が主宰していた同人詩誌「母音」第十八冊（一九五四年五月）への「原点が存在する」の発表、さらに巻末に、この詩的散文を収録した詩集『大地の商人』（久留米・母音社、一九五四年一一月）の刊行だった。わずか二百部の詩集は、東京都渋谷区の詩専門古書店・中村書店の手で、三百部が翌々年四月に再版されることにもなった。「自費」出版の詩集の増刷など、ほとんど例はない。

「原点が存在する」は、「K・Yの手紙」への返信のかたちだ。K・Yとは、詩人・安西均。一般的には「あんざい・ひとし」と呼ばれるが、本姓は「やすにし」で、名前の通称は「きん」だった。頭文字はK・Yとなる。敗戦後、福岡市の西日本新聞社に入社した谷川を、詩誌「九州詩人」「母音」へ誘ったのも安西だ。彼は、朝日新聞社に勤務し、当時は福岡市で発行されていた系列夕刊紙「九州タイムズ」に出向していた。

直接的には、「母音」通巻第十四冊（一九五二年一月）に掲載された、同人十六名による誌上年賀状「正月料理」の一文だ。

「現代詩人への百問」と題して阿蘇の谷川雁に書いてもろう《ママ》ことにしたら、何十問あたりで人工気胸がおもわしくなく、七転八倒の憂目をみせてしまったらしい。ぼく達の眼前に立ちはだかる大小の設問に対して、ひとつびとつ○印か×印で解決してゆかねば、一篇の詩も書けなくなったのではないか、とくに今日では。あなたは何のために詩をかく？　という第一問から、産児制限賛否の第百問（？）に至るまで、詩人に問うてみようと思う。早く雁の草案ができればいゝ。このアチーヴメント・テストに六十点以上とれなければ、ことしは詩を書くのをやめるかも知れない。もつとも落第や休学生の詩というものがあり、相変らずそんな詩を書くかも知れない。

なお、谷川雁も次のように寄せている。

互にみもしらぬ、虚無にひとしいほどの堆積《マス》が恒久平和を主張することによつ《ママ》戦争を防ごうとしている現象は、人類がペシミズムの衣服をさらにもう一枚脱いで、新しい楽天思想を建設している段階であるようにみえる。いまやノアの末裔がめざめた。圧倒的多数の人類がはじめて唯一つの共通目的を獲ようとしている。このとき詩人たちは光のさし来る方へ向って槌をふるう工匠木人らの上に歌う天使のごとくあれ。

「工匠木人ら」とは、「下部へ、下部へ、根へ、根へ、花咲かぬ処へ、暗黒のみちるところへ」にも通じる。「そこに万有の母がある。存在の原点がある。初発のエネルギイがある」、この一節は「連帯を求めて孤立を恐れない」よりも、谷川雁の言葉として広く知られた。「あ、それは雁さんわたしです」「これはわたし家《げ》の方角らしい」と錯覚したのは石牟礼道子（「雁さんへ――水俣から」『草のことづて』所収）だった。なお、谷川には手紙文に名文が多い。本書では、「深淵もまた成長しなければならぬ」「農村と詩」もY君こと安西均、「森崎和江への手紙」、「東洋の村の入口で」初出には副題「読者への手紙」がある。第二評論集の「工作者の論理」はT氏こと鶴見俊輔へ、「女のわかりよさ」は山代巴へ、「伝達の可能性と統一戦線」は日高六郎へ、それぞれ手

紙の形式を採っている。かなり後年になるが、石牟礼道子への「〈非水銀性〉水俣病・一号患者の死」を含めた手紙文集『極楽ですか』（集英社、一九九二年六月）もある。

「原点が存在する」は「百問だなんて無茶だ。私はそう思いながら病舎に帰った。一日に十度も死が話される処へ」で結ばれる。阿蘇の結核療養所に入所中の執筆だった。

さらに、この「原点が存在する」を標題とした詩論集の刊行は、衝撃を広めた。本書の初版である。

「さらに深く集団の意味を」の背景

九州・山口の文化交流誌「サークル村」の創刊（一九五八年九月）は、ひとつの事件であった。敗戦後、一九四〇年代後半に最盛期を迎えたサークル活動は、一九四九年に始まるレッド・パージによる主要活動家の職場からの追放もあって、五〇年代後半には低迷していた。にもかかわらず、谷川雁は上野英信・森崎和江らを誘って、新たにサークル運動の可能性に賭けた。

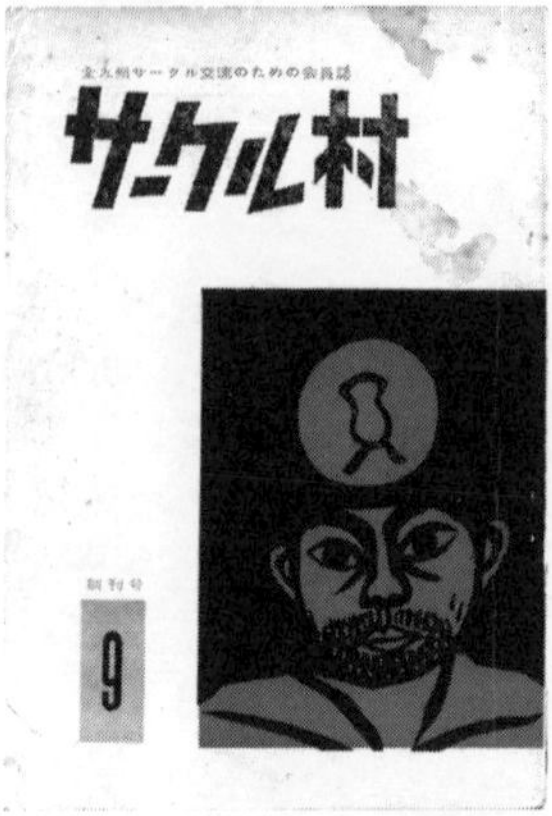

「サークル村」創刊宣言として書かれた「さらに深く集団の意味を」は、編集委員会の総意に基づくため無署名なのだが、その執筆は全面的に谷川雁だ。したがって、

詩論集『原点が存在する』に、留保なしで収録される。「一つの村を作るのだと私たちは宣言する。奇妙な村にはちがいない。薩南のかつお船から長州のまきやぐらに至る日本最大の村である」、「村のなかに県があるという逆説」を語る。「まきやぐら」は、山口県宇部炭鉱の詩文学サークルの雑誌名でもある。

ここで特徴的なのは、北部九州と南部九州、労働者と農民、知識人と民衆、古い世代と新しい世代、中央と地方、男と女、これらの対立・断層をまず指摘することだ。もちろん、この矛盾を深めていくのは「工作者」である。「孤立と逆説の世界」で、「理論を実感化し、実感を理論化」していくのだ。

ところで、こうした発想は一九五八年に突如、出現したわけではない。北部九州と南部九州の交流からの「革命」は、すでに一九四九年一〇月の日本共産党九州地方委員会の文書に見ることができる。

『人民の旗は進む――九州における革命の展望』は、「党事務所新設記念出版」として、日本共産党九州地方委員会出版部から発行された。奥付の発行者は井上光晴。編者は日本共産党九州地方委員会宣伝教育部だった。巻頭には当時の書記長・徳田球一の肖像写真が掲げられる、五十ページの小冊子だ。

いったい九州とはどんなところだろうか。われわれは毎日ここでくらし、時には汽車にのって旅をしながら阿蘇の温泉はどうだとか霧島のつつじがきれいだとか言っているが、この温泉と山や海の美しい風景と郷土の風俗などに気をとられていると、共産党のいう「革命」なんかいったいどこの国の話だと言う気になりもするだろう。

このような文章で始まる「革命の展望」が、当時の共産党に、ほかにもあるかは知らない。ソビエト連邦など社会主義圏を中心とした世界状況、日本の敗戦後の政治状況など、大局から革命を展望するのが常套手段ではなかろうか。西日本新聞社を労働争議の首謀者として馘首されたあと、谷川雁は日本共産党の機関紙「アカハタ」の九州地区の責任者として活動していた。「宣伝教育部」の編著（内容の討議には、小説家になる前の「プロレタリアート」井上光晴も関わったに違いない）ではあっても、実質的には谷川が主要な執筆者と推定できる。それは、以下のような、都会と田舎、北部九州と南部九州を比較する視点にもうかがえる。

東京の人たちは九州というと菅原道真が流された、とほうもない田舎で、ここに住んでいる私たちを熊襲の子孫かなぞのように思っているものもある。しかし九州は決して都会人から馬鹿にされるようなねうちのないところではない。そんな考えは東京に集っているおえら方が自分たちをりっぱにみせ、地方の人たちをあごでうごかすために発明したもので、自動車をのりまわし、ぜいたくな家にすまっているあの人たちも種をあかせば田舎から出た人が大部分である。（中略）

だが私たちの故郷九州はえこひいきをせずに見ても、日本の国のなかでずいぶん大きな役目を果している。

第一に石油がさほどとれない日本では工場をうごかして物をつくるいちばん大事な力は何といっても石炭である。ところでこの石炭は全国の半ば以上が九州でとれる。九州の石炭が出ないなら、日本の工場は一日もぶじに運転することはできない。福岡、佐賀、長崎、熊本の各県に私たちの故郷はこんな宝をもっている。

第二に鉄である。鉄といえば八幡、八幡といえば鉄というくらいに全国に名高いこの工場は全国の四割もの鉄を天をこがすようこう炉のなかから作りだしている。

第三に大牟田や延岡、水俣、黒崎などの化学肥料も全国の四割をしめている。（中略）だからこれらの工場や炭鉱があつまっている北九州は日本の心臓ともいわれている。この工場や炭鉱の多くは三井、三菱、住友など昔からの大金持が戦争に負けてもなおにぎっている。北九州というところはこの財閥たちの城下町なのだ。（中略）

北九州がたいせつなところだというのは分った。だが九州のあと半分、南九州はどうだろう。南九州でとれるものはおもに農産物と林産物である。ここにはめだって大きな町もなく、工業もすくない。二三の例外をのぞくと有明海のノリ、宮崎県のしいたけ、鹿児島の桜島大根など地方の特産物を加工する家内工業しかない。だからここではお百姓の物を買う力があつまってところどころに町ができているていどだ。貧しいお百姓やきこりや漁師がここの土地をささえている力である。汽船やようこう炉やボタ山、けむりにおおわれた北九州から汽車にのって南へ六七時間もゆくとまるで別天地のような風景がひらける。変っているのは景色ばかりではない。人々のくらし方も考え方もずいぶん変っている。

この前提から、「北九州の工場や鉱山にはたらく人たちが大金持をやっつけるために闘ってくれればこそ南九州のお百姓やきこりや漁師もまた北九州の商人や市民もすべての点でたすかっているし、今後もたすけてもらえるのだが、今までのところでは南九州の人たちはしらずしらずこの人たちの戦う力をよわめて自分自身も損をしている」という両者の相違を指摘する。両者をぶつけ合うことで、新たな社会を切り開こうとする戦略だ。

次のような一節も谷川雁らしい表現だろう。「昔美作の国の八枚の田を持っているお百姓が雨の降る日野良に出て仕事をした帰り、田を数えてみたところ八枚の田が七枚しかどうしてもない。そこであきらめて帰ろうとしたらミノ、カサの下から探していた一枚の田があらわれてきたと言う話があるが、九州の百姓もこれと五十歩百歩の小百姓が多い」。

もちろん、一九四九年と、今日の状況は大きく違う。また、一九五〇年一月のコミンフォルム批判により、日本共産党は主流派（所感派）と国際派の分裂になり、かつてない混乱の時代を迎えた。九州地方委員会は国際派に属したこともあって、この『人民の旗は進む――九州における革命の展望』は、その後、顧みられることはなかった。

ただ、谷川雁のなかでは、活動していた福岡市、故郷の水俣市、療養した阿蘇と、北部九州と南部九州を往復するなかで、「革命の展望」はさらに深められていったようだ。それが「サークル村」創刊宣言となる。

「新熊本文学」での論争

本書には一篇も収録されていないが、この時期の「新熊本文学」との関係は、その後の「サークル村」へ至る過程として見逃すことができない。巻末の「著作リスト」①に見るように、盛んに新日本文学会系統の同人たちを挑発している。

新日本文学会熊本支部の機関誌「新熊本文学」は、日本共産党の分裂に対応していた中央誌「新日本文学」と「人民文学」（「文学の友」と改題）の合流に応じて、「人民文学」系の「熊本文学」と合同して新たな「新熊本文学」（新熊本文学会）を、一九五五年五月に創刊した。ただし、従来の「新熊本文学」の通巻号数を引き継ぎ、第十八号と表記される（一九五六年一二月の、通巻三十四号まで確認）。もちろん共産党の六全協などが背景として進行していた。主な会員としては、熱田猛・渡辺京二・吉良敏雄・本田啓吉・上村希美雄などを見る。

「読者通信」（五五年六月）では、前月の第一号の編集が「会の趣旨とまるきり違う方向」で、「無責任であり、事大主義であり、羊頭狗肉である」と断言する。「地方・型・文学」（五五年九月）でも、熊本県の民主主義文学運動の「重大な欠陥」を、「運動と呼ぶにはあまりに盲目的であり自然発生的」で、基本方針を持たないと批判する。「一筋つらぬいているものは、敗残者の感情である」と指摘する。この挑発に応答したのは宮崎に移っていた熱田猛だった。「異論と疑問（谷川雁氏へ）」（五五年一〇月）、谷川雁「熱田猛氏へ」（五五年一一月）、熱田猛「対立する二点―再び谷川雁氏へ―」（五六年一月）と続いていく。

なお、不遇のなかで若くして病死した熱田猛（一九三一～五七）には、遺作小説集『朝霧の中から』（熱田美憲、二〇〇三年一月）が刊行され、秦重雄による懇切な解説が添えられている。部落差別を扱った秀作として高い評価が与えられた。

「緊急動議」（五六年八月）も、熊本県内の文学サークル・同人誌へ、結成されて休眠状態の県文学協議会の再生を訴えるものである。上級機関ではなく「あまり義務感を伴わない便利で民主的な親睦の機関、連絡の機関」、ただし「批評の機能」を持つことを提案した。「文学を支え、文学から支えられているこの世の一箇の実在は人間とその共同体であるという思想こそ新しいリアリズムの出発点」という見立てがある。「サークル村」構想も、まず、在住していた熊本県からということであろう。なお、「新熊本文学」第三十三号（一九五六年一一月）には、「谷川雁氏を囲む座談会」の記録が掲載予定だったが、印刷所の不手際で原稿が紛失したという。その後、発見されたか否かは不明である。

詩人・谷川雁

谷川雁には、当時の詩誌のアンケートに、「詩人」として答えたものがある。既刊評論集からは漏れているので、順次、紹介しておこう。

一九五五年二月「詩学」二月号の「現在の私の仕事」に対して、「一、食うために田舎町の小間物屋のあるじ。二、独立と平和のために優しく貧しく若い人々との対論一日に少くとも三、四時間。三、人一倍強い小ブル的な自我のアナーキーを克服するために忍耐と学習、(イ)現代詩の史的構造に関する小論執筆中(ロ)詩は現在の瞬間書いていない。(ハ)読書中のものマルクス・エンゲルス文学、芸術論。四、療養。」

この時期、故郷の熊本県水俣市に帰郷していた谷川雁夫妻は、実家の一角で小間物屋「にじや(虹屋)」を開いていた。もっとも、地元の共産党細胞活動に忙しく、妻の和子が采配していたに違いない。和子は、そこで石牟礼道子などと、地域サークル「ノラの会」を開いていたようだ。「三(イ)」の小論は、同じく「詩学」の翌三月号に発表した「現代詩における近代主義と農民」のことだ。

同年一一月「詩学」臨時増刊号「全国詩誌展望・1955」の「あなたはどう考えるか」は、①あなたのベターハーフについて②あなたの趣味について③あなたの最も強い不満④最も影響を受けた詩人⑤最近の愛読書という五項目だ。それぞれ「①悲劇を解せぬ大阪産だが鍛えれば成長する。②辺地の人々と話すこと。③敵にいうことはない。味方よ、幻想を棄ててもつと男性的になろう。④ヴァレリイ。⑤静かなドン。」

ここでは、妻・和子について短く語っていて貴重だ。もっとも男性中心的な印象はぬぐいがたい。

一九五六年九月「詩学」臨時増刊号「全国詩誌展望・1956」の「アンケートAあなたは同人詩誌になにを望むか?B同人詩誌のなかの注目すべき詩人」へは、「Aみずみずしさ。つつましさ。明快な主張。B「氾」堀川正美。」

このときは、長谷川龍生が「注目すべき詩人」の一人に、飯島耕一、天野美津子、浜田知章と並べて「「母音」の谷川雁」を冒頭に挙げた。また堀川正美は「「母音」谷川雁」のみ、丸山豊は「身近なところでは森崎和江。妻としての生活を見すえることから求心的に愛と革命との婚姻を追究しています。谷川雁の詩精神にだかれて、その胸倉を一所懸命にたたいている詩人です」と答えていた。

一九五七年一〇月「ユリイカ」一〇月号の「戦後のアヴァンギャルド芸術をどう考えるか」へは、「日本のいわゆるアヴァンギャルド芸術は戦前も戦後も宗匠たちに残っている一種の勇み肌の異名ではあるまいか。みずから前衛と称することの馬鹿げた苦しみを知ってこそ天晴れな前衛というべきであろうが、それならば行為そのものをもうすこし前衛化したらどうであろう。せめてフットボールの選手くらいには。」

一九五九年六月「現代詩手帖」六月創刊号の「これからの詩はどうなるか」へは、「形式というより内容が結晶化を恐れすぎているように思います。自己閉鎖をうち破ろうとするのはよいが、まるでどんな世界へも連れ去ってくれないのは困る。結晶化と自己解体がもつと組みあわさったものを求めます。それはきつと、眼の前の世界がそういう運動を越してくるときにあらわれるでしょうが、今はそれを予見しつつ忍耐する者だけが、そのときに蟬のように歌うことができるでしょう。」

詩誌へのアンケートは以上だが、時期的には後年の「小伝」「詩人名鑑」なども、ここでまとめておく。

一九六〇年九月『現代日本名詩集大成』第11巻の「小伝」では、「一九二三年十二月十六日熊本県水俣市に眼科医の次男として生まれた。幼時から小心、不器用、偏執的理窟家の名が高かった。四歳のとき犬に嚙まれて地方新聞の三面記事になり、はじめてジャーナリズムに登場。熊本中学に進み、ヒトラー・ユーゲント歓迎に反対を唱えたりしていたら、「お前のような奴がアカになる」と教師から宣告され、五高では新体制をくさしてばかりいるので「建設的でない」と定評あり、大学では延安行を夢想し、軍隊では「お前みたいなのが私兵を作るのだ」といって営倉に入れられ、敗戦で東大社会学科をおしだされたときは「卒論を書かずにすんでよかった」と日高六郎から祝福された。しかし戦後三年目には西日本新聞争議を指導してGHQと衝突、ゴロツキと規定されてクビになり、共産党分裂時代には少数派としてしめだされ、いままた修正主義者と反共左翼挑発者の称号を得ているところを見ると、そのかみの予言者たちは心やさしかった。」

ここでは、誕生日が「十六日」となっていることに注目しておこう。現在のところ、戸籍謄本など確認する資料は手元にない。

一九六一年三月「詩学」臨時増刊号「1961年版詩学年鑑」では、「現代詩人名鑑」①生年月日②出身地③卒業校④専攻⑤職業⑥勤務先⑦所属⑧主要著書⑨家族⑩趣味⑪現住所⑫電話⑬其他に対して、「谷川雁　①大・十二・十二・二五②熊本③東大文学部④社会学⑤売文⑦九州サークル研究会・新日本文学会・⑧「谷川雁詩集」評論「原点が存在する」・「工作者宣言」⑪中間市本町六丁目」と答えている。

一九六二年一二月「詩学」一二号「詩学年鑑'63」では、①生年月日②出身地③卒業校④家族⑤勤務先⑥趣味⑦所属⑧主要著書⑨賞⑩其他に対して、「谷川雁　①大・十二・十二・二五②熊本③東大文学部社会学科④複雑と単純の双面・説明してもむだ⑦「試行」⑧谷川雁詩集・原点が存在する・工作者宣言・戦闘への招待。」

ところで、一九五六年九月「詩学」臨時増刊号で、森崎と谷川の関係に触れた丸山豊は、「詩学」一九五八年三月号に「無名の朝」という詩を発表している（同誌には谷川雁の詩「非原始」

も掲載）。一九五四年一〇月に初めて出会ったふたり（翌年一月九日、久留米市において開催された『大地の商人』出版記念会には、森崎も参加したことが集合写真で確認できる）が、翌年九月「母音」誌上での「森崎・谷川往復書簡」を経て、急速に接近していった全過程を、丸山豊は身近で見ていたのだった。

無名の朝

友なる谷川雁と、私の媒酌で松石に嫁していた森崎和江への手紙

一九五八年一月×日

冬になれば平野もやせる
氷のまたたきに見送られて
私は山のひつそりしたホテルにいる
友よきいてくれ　雪もよいの雲のむこうで

あんなに愛し合っていたあの夫婦が
かならず別れようという　別れねばならぬという
苦しみながらの目ざめはすばらしいという
死刑台のあるあたらしい地図

あの男は扁平な愛のなかに生きて
あのひとはみつめていたものだ　稀有の火災を
人参をきざんでいた　キスをしていた
世界をきざんでいた　平安にもだえていた

あのひとの全裸の光と影をだいて
あの男は愛が宿題であることを知っていた
けなげにはたらいていた　せつせと愛撫していた
苦しんでいた　微笑していた

愛はことに結末のときが美しい
愛はことに出発のときが美しい
愛し合いながら別れるという
冷静な狂気か　驕慢な正義か

氷の穂でみずからの胸を刺す優しさ

あるいはサキソフオン吹きならしての苦しみ
そこから革命がはじまるとすれば
そこからはじめて生きるとすれば

あの男の頬に冬の夜ふけの月
あのひとの頬にあかつきの輝き
そして風をならして疾走するのは
私の敬愛する稀代の剣士

ひつそりした山のホテルにきて
じつと山なりをきいている所在なさ
私はあの剣士の陰影である
私はあの男の影である　あのひとの影である

しずかに死刑の順番をまつ
あの男のまずしさと私の非力はどうだ
自在鈎のない世界へ

なお、丸山豊「詩集『大地の商人』上木事情」(第3次「辺境」2、一九八七年一月)での、「この本を世に出したということは、私にとっても心ひそかな誇り」という記述からも、詩集の出版費用を負担したのは、丸山豊だ。おそらく、「詩集ひとつに三万円」(「現代詩における近代主義と農民」)はかかったに違いない。

また、本書刊行の経緯は、小野二郎「谷川雁著『原点が存在する』(弘文堂)」(『名著の履歴書―80人編集者の回想』下巻、日本エディタースクール出版部、一九七一年一二月。初出は「図書新聞」一九六七年一一月二五日)に詳しい。一時期、東京大学新聞社にいた雁の末弟・谷川公彦(吉田公彦)との交友から、五八年秋に東大新聞の部屋で会い、即刻出版を申し込んだという。小野が東大修士課程を終えて弘文堂に入社したのは、その四月のことで、三十歳近いとはいえ、まだ駆け出しの編集者だった。「暮もせまってバタバタとつくった」という。「初版三千」は「無名の詩人の詩論集」としては、かなり強気の部数である。

本書の構成

本書は、弘文堂の初版以下、これまでの『原点が存在する』(現代思潮社版、潮出版社版)と、同じ内容・順序で構成される。長短三十九篇が収録される。ただし、「あとがき」は、初版と現代思潮社版ともに収録した。その初出は各篇の末尾にも記載しているが、巻末には同時期の未収録作品を含めた発表順リストも掲載した。

ただし、前述した『人民の旗は進む』と、主に一九四八年に「九州タイムズ」に寄稿された匿名コラム類は、記載していない。雁が「(少年)ひとりの名を借りて僕は、君がほとんど自分のノートのように扱っていた夕刊紙へ小さな文章をのせた」(「農村と詩」)と語るものだ(これらのコラムは、八木俊樹編『無の造形』には収録されている)。「九州タイムズ」は、Y君こと安西均が学芸欄を担当していた。

そのリストでもわかるように、五つのパートは必ずしも、発表順に構成されていない。第Ⅰパートは、標題作から「さらに深く集団の意味を」まで当時の谷川雁のエッセンスといえる十篇。第Ⅱパートは、その思想的骨格の一つ「農民の「発見」」を論じた六篇。第Ⅲパートは、政治・思想論の五篇、第Ⅳは随筆六篇で、最後は書評類の十二篇となっている。

なお、底本は初版を採用したが、初出によって新たに校訂した。誤植や遺漏と推測される箇所は多く、句読点の異同を含めるならばかなりに上るが、主な異同を指摘するにとどめる(いずれ、『谷川雁全集』において、後版での変更を含めて、まとめてもらいたい)。ことに「原点が存在する」「幻影の革命政府について」「現代詩における近代主義と農民」には、従来の読解の変更を要するような箇所も見受けられる。谷川雁は、一度発表した原稿に加筆修正することがなかったので、初出の誤植・誤記の訂正のほかは、本書でも原則として初出表記を優先した。

もちろん、その判断に迷う箇所も数多い。いくつかを例示しておきたい（傍点は解題者）。

「無を嚙みくだく融合へ」での、「敵と考えてはいない」（本書45ページ）は、初出は「敵と考えてはいけない」。

「現代詩における近代主義と農民」での、「悪罵と憤怒」（本書93ページ）は、初出は「悪声と憤怒」。

「農村と詩」での、「圧政と貧苦をなめされてきた」（本書112ページ）は、初出は「圧政と貧苦になめされてきた」。

なお、本書では、「特殊部落」をはじめ、今日では差別的表現として忌避される用語も数多い。しかしながら、谷川雁には「日本読書新聞」紙上での東上高志らとの、この用語をめぐる論争（東上「特殊部落という言葉」一九五九年一一月二日、谷川「特殊部落という言葉―東上氏への反論」一一月一六日、藤島宇内「特殊部落という言葉―谷川雁氏に反対する」一一月三〇日）があることを鑑み、また決して差別を助長するためではなく、その逆の意図で使われていることは、本文を通読すれば明白なので、すべて初出表記のままである。

筆者が故人であることと、言語表現が著しく時代的背景を持つことを考慮すれば、なおさら初出の表記を尊重するのが適していると判断した。

最後に付言すれば、本書によって初めて評論集『原点が存在する』は、その本来の姿を現わした。これまで何度も「復活」が語られてきた谷川雁だが、ここに戻ってこそ、末長く読み継がれていくに違いない。

著作リスト　1948－58

凡例

※詩作品は除いている。
※発行者の変更なき場合は記載していない。
※冒頭の数字は本評論集の収録順で、**工**は『工作者宣言』、**戦**は『戦闘への招待』に収録されたものである。
※評論集未収録のうち、**＊**印は八木俊樹編『無の造形――谷川雁未公刊論集』（私家版、一九七六年）にも未収録である。

1948年

3　6・1　深淵もまた成長しなければならぬ――詩人から詩人へ　午前18（3－5）　南風書房
　※**初出題名**　詩人から詩人へ
　12・1　文学と小ブルジョア　午前23（3－10）

1949年

　2・28　二つの傾向について　母音8　母音社

1952年

＊ 1・1 正月料理 母音14（2－6）

28 5・15 アラゴンについて 母音16（2－8）

＊ 6・30 詩歌への照明 水俣詩歌1 水俣詩歌会

1953年

＊ 8 通信 交叉点23 交叉点詩社

1954年

1 5・25 原点が存在する 母音18※通巻19号

＊ 5・30 書簡抄 交叉点29

＊ 9・30 母音の主張 ※母音編集部の署名 詩学 全国詩誌展望・1954（9－9） 詩学社

29 12・5 欠席した人々へ――ランボオについて 開墾1 母音社

※**初出** 副題なし

1955年

12 1・1 「農民」が欠けている 櫂10 櫂の会

2・28 現在の私の仕事 ※アンケート回答 詩学（10－2）

13 3・28 現代詩における近代主義と農民 詩学（10－3）

＊ 6・1 読者通信 新熊本文学19（6月号） 新熊本文学会

22 8・15 昭和十八年秋の音楽 交叉点38

30 8・1／9・1／10・1 現代詩時評〔Ⅰ・Ⅱ・Ⅲ〕 現代詩（2－8～10） 百合出版

＊ 9・15 地方・型・文学 新熊本文学22（9月号）

23 9・26 森崎和江への手紙　母音23※通巻24号

＊ 11・ 1 尺牘　九州詩人1　福岡詩人クラブ

＊ 11・15 熱田猛氏へ　新熊本文学24（11＝12月号）

11・15 あなたはどう考えるか　※アンケート回答　詩学　臨時増刊　全国詩誌展望・1955（10－12）

11 12・1 東洋の村の入口で――読者への手紙　現代詩（2－12）

―1956年

＊ 2・1 不敬の祝詞――安西均詩集『花の店』出版記念会のために　歴程51　歴程社

18 4・3 党員詩人の戦争責任　アカハタ1930　日本共産党中央委員会

25 5・1 モデル村　※「南の風・北の風」欄　新日本文学106（11－5）　新日本文学会

5・10 あとがき　『天山』　国文社

5・30 大げさな正誤表　詩学（11－6）

＊ 6・25 〔書簡〕　草の実40　草の実詩話会

31 7・1 流浪のための定着　現代詩（3－6）　緑書房
※初出題名　非メタフィジック詩論　ルネ・ギイ・カドウ　根岸良一訳

＊ 8・15 緊急動議　新熊本文学31（9月号）

9・1 わたしの物置小屋　現代詩（3－8）

9・15 アンケート〔同人詩誌について〕※アンケート回答　詩学　臨時増刊　全国詩誌展望・1956（11－10）

2 10・20 層ということ　交叉点43

32 10・22 「貞節」のたぬきわな 東京大学学生新聞276 東京大学学生新聞会
※初出題名 山代巴『荷車の歌』「貞節」のワナにかかった作者 農婦の内部を探れ

17 11・15 詩と政治の関係 ※「Ⅳ社会的テーマをいかに描くか」の章
『講座現代詩1詩の方法』 飯塚書店

1957年

14 1・15 農村と詩 ※「Ⅱサークル詩の前進のために」の章
『講座現代詩3詩の展開』 飯塚書店

24 3 死後轢断 交叉点45

33 3・16 兵士の恐怖は怪物にならぬ――壺井繁治詩集『影の国』『頭の中の兵士』井上光晴詩集『すばらしき人間群』 図書新聞390 図書新聞社

34 4・25 ある博物誌の一節 日本未来派75 日本未来派
※初出題名 山内龍詩集『暗室』評――ある博物誌の一節

19 4・29―30 辺境の眼は疑う――革命的ロマンティシズムの展開を願って
アカハタ2263／2264

5・30 墓地を買う 詩学（12―6）

35 6・1 あじあ人の従弟として 現代詩（4―5） 新制作社
※初出題名 パブロ・ネルーダ『大いなる歌』――あじあ人の従弟として

36 6・15 一日おくれの正確な時計 九州大学新聞404 九州大学新聞部
※初出題名 東洋的倫理観への訣別――『暗い絵』から思うこと

39 7・20 わが代表作 ※特集 わが代表作 詩学 臨時増刊 現代詩読本（12―9）

37 8・15 現代詩鑑賞 群21 新しい詩の勉強会

※初出題名 現代詩鑑賞(3)――「寂寥」才所三正

4 9・18 組織とエネルギー――〝保守的コミュニスト〟達へ
東京大学新聞復刊17 東京大学新聞社

10・1 戦後のアヴァンギャルド芸術をどう考えるか ※アンケート回答
ユリイカ13(2―10) 書肆ユリイカ

10 チゴイネルワイゼンの作者へ ※ハガキ
阿蘇28 阿蘇文化の会

11・13 大学の青春/田舎の青春 ※山下肇との対談
東京大学新聞復刊25

26 12・1 東京の進歩的文化人
群像(12―12) 大日本雄弁会講談社

5 12・2 民衆の無党派的エネルギー
日本読書新聞928 日本出版協会
※初出題名 新しい身じろぎをはじめた民衆の無党派的エネルギー

1958年

16 2・1 自分のなかの他人へ ※「口論・切り出し」欄
民族詩人1 民族詩人の会

＊ 3・10 大谷浩之さん〔巻頭詞〕
草の実51

＊ 3・10 詩人の往復書簡 ※「草の実」37再録
草の実51

15 4・23 農村の中の近代 ※日本近代の検討――その1
東京大学新聞復刊43

38 4・30 機関車から詩集までのちいさなスリップ
かがり火1 門鉄詩話会

5・1　破船・ノート　短歌研究（15－5）　日本短歌社

7　6・1　無を噛みくだく融合へ――現代詩がめざしているもの
ユリイカ21（3－6）

21　6・1　毛沢東の詩と中国革命　※特集　東洋詩の理想と現実
現代詩（5－6）　書肆パトリア

8　6・10　工作者の死体に萌えるもの　文学（26－6）　岩波書店

6　6・26　幻影の革命政府について　展望3　九州大学展望編集部
※初出題名　幻影の政府について

20　7・1　現代詩の歴史的自覚――戦後意識の完結をめぐって　※特集　現代詩の存在理由
新日本文学132（13―7）

＊　7・20　組合の味がした西瓜――サークルの手触り①
支部報2　日本機関紙協会九州支部

＊　8・30　地域人民雑誌――サークルの手触り②　支部報3＝4

27　9・10　サイズのあわせかた　阿蘇39

10　9・20　さらに深く集団の意味を――『サークル村』創刊宣言※無署名
サークル村1　九州サークル研究会

9・20　蛮人　サークル村1

＊　9・23　〔無題〕（追悼・大谷浩之）　『大谷浩之追悼文集』　大谷浩之遺稿集刊行会

9　9・29　ペンでうらみを晴らす道　週刊読書人243　日本書籍出版協会
※初出題名　国民文化全国集会・文学交流会の討論を開《ママ》いて　ペンでうらみを晴らす道　切り離し難い方法論と組織論

＊ 10 国民文化とサークル 『現代日本文化の創造と享受とは』関西国民文化会議

戦 10・1 組織と病識――「国民文化集会」の底流から
東京大学新聞復刊59

10・6 イメエジから先に変れ　交流誌の発刊を提案させた深刻多様な疑問――第3回国民文化全国集会から
日本読書新聞971

10・20 編集後記 ※署名・雁 サークル村2（1－2）

工 11・20 女たちの新しい夜――創造と組織の谷間にあるもの
サークル村3（1－3）

11・20 編集後記 ※署名・G サークル村3（1－3）

12・1 九州へ来たまえ〝星〟をあげよう――私の記録＝日本を見る地方の目(3)
学園新聞955 京都大学新聞社

40 12・15 あとがき 『原点が存在する』 弘文堂

12・20 さらに深く集団の意味を――創刊宣言 ※再録・無署名
サークル村4（1－4）

※1963年

41 7・25 現代思潮社版 あとがき 『原点が存在する』 現代思潮社

（作成 坂口博）

主な校異

一、本書における、初出・初刊（弘文堂、一九五八年一二月）との主な校異をまとめた。ただし、後版（現代思潮社版、潮出版社版、河出書房新社版など）との異同は記していない。

二、全般的に、日本語表記法の過渡期のために、送りかなは混在している。例えば、少なく／少く、必ず／必らず、働く／働らく、異なる／異る、などは初出のままである。また、本書『原点が存在する』所収論考は、初出・初刊において拗音・促音が不統一だが、現行仮名遣いに統一した。漢字字体も現行字体で統一した（例示すれば、飜訳→翻訳など）。

三、ここでは、初出と初刊における主な異同のみを記載、軽微な句読点などの異同は省いた。明らかな誤植は、初出・初刊ともに記載していない。

四、本書で採用した表記を**太ゴチック体**で示した。異同箇所には傍線を付した。

	初出	初刊
原点が存在する		
11頁4行	**作りだす**	つくりだす
11頁5行	**追及する**	追求する
12頁4行	**きまじめになるとき、**	きまじめになる時、
12頁14行	**これに対処すべき心情の基礎を与える人間ではないか。やがて支配的となるにちがいない新しい**	

	心情の発見者	これに対処すべき心情の発見者
13頁7行	**そのときはじめて**	その時はじめて
13頁10行	**者たちへ無数の**	者たち無数の
13頁11行	**しばしばそれは**	しばしそれは
14頁11行	ギータア	ギータア　※『大地の商人』所収の表記「**ギタア**」を採用
15頁9行	**下部へ、下部へ、根へ、根へ、**	下部へ、下部へ、根へ根へ、
15頁10行	**暗黒のみちる所**	暗黒のみちるところ
15頁11行	**「異端の民」だ。**	「異端の民だ」。
15頁17行	**できない。**	出来ない。
16頁11行	**訪れてきた。**	訪れて来た。
17頁5行	**話される処へ。**	話されるところへ。

深淵もまた成長しなければならぬ

22頁7行	**しかしあの時は会話の**	しかしあの時の会話の
23頁4行	**優雅《エレガンス》さ**	優雅さ

組織とエネルギー

29頁3行	**悔恨の表情すら**	悔恨すら
29頁14行	**ここには労働**	ここは労働
30頁1行	**阿呆づら**	阿呆ずら

幻影の革命政府について

42頁10行　**正の前衛、**　正の前衛

43頁4行　**故郷なきプロレタリアート**　故郷なりプロレタリアート

無を噛みくだく融合へ

45頁11行　少しづつ　少しづつ　※現代表記の「**少しずつ**」に訂正

46頁14行　**表現していないのだろうか。**　表現していないだろうか。

47頁11行　**問題なのだ。**　問題のだ。

52頁10行　**豊かになる**　豊かなる

さらに深く集団の意味を

69頁9行　**サークルは、なおも内部闘争の必然性**　サークルはなおも内部闘争の必要性

69頁14行　**映サ協や労音の前進を**　映サ協や労音前進を

73頁2・3行　共同態的契機　**共同体的契機**

73頁5行　**青年婦人の組織**　青年婦人組織

73頁7行　共同態の眼　**共同体の眼**

73頁12行　もとずく　もとずく　※現代表記の「**もとづく**」に訂正

76頁9行　**目下のサークル**　目下サークル

77頁6行　巾広く　巾広く　※「**幅**」で表記統一

現代詩における近代主義と農民

94頁1行　**水車がめぐる深夜の音**　水車がめぐる深夜の面

99頁10行　**近代主義と社会主義リアリズム**　近代主義リアリズム

100頁3行　**社会の法則はついに生れえない。**　社会の法則はついに生れない。

103頁14行　**苛酷な税金に秩父騒動をはじめ農民は蹶起する。それは西南戦役まで血みどろの犠牲の上に続いてゆく。これを**　苛酷な税金に農民は蹶起する。これを

※秩父騒動（困民党）一八八四年、西南戦争一八七七年と順序が間違っていたので、初刊では削除したものか。〔　〕で、削除部分を復元する。

104頁9行　**封建的な枷をつけたままの官僚**　封建的な枷をつけたまま官僚

108頁4行　**日本現代詩が近代詩となる**　日本現代詩となる

農村と詩

116頁14行　少しづつ　少しづつ　※現代表記の「**少しずつ**」に訂正

123頁16行　**波うつ情感によって**　波うつ感情によって

126頁11行　**単なる地方でも故郷でも大地**　単なる地方でも大地

127頁2行　**僕のいわゆる〈原点〉という観念**　僕のいわゆる原点という観念

129頁6行　**ゲルマン人……〈マルクス〉**　ゲルマン人――マルクス

自分のなかの他人へ

137頁8行　**寸づまり批評**　寸ずまり批評

137頁10行　巾も長さも　巾も長さも　※「**幅**」で表記を統一

138頁4行　**プリズム**　プリヅム

139頁11行　種子から？　自由民権運動、百姓一揆。じゃその種子は何から？　さらにその以前
種子かしら？　さらにその以前

140頁15行　こころ優しい奥山の怪物になれる
心優しい奥山の怪物になる

現代詩の歴史的自覚

184頁10行　主観的な責任が客観的に成立
主観的に成立

187頁1行　転向だの再転向だのと何の縁もない
転向だのと何の縁もない

187頁4行　吉本の詩だけは生活なき生活の倫理
吉本の詩だけは生活の倫理

191頁4行　雄弁な表現法だ。
雄弁な表現だ。

毛沢東の詩と中国革命

197頁3行　臧克家
蔵克家

197頁15行　讃歌
賛歌

昭和十八年秋の音楽

207頁11行　というような賭けの無意義
というような賭けの無意義

森崎和江への手紙

214頁8行　しかもなお
しかもなを

214頁9行　ゆきづまった
ゆきずまった

215頁7行　原子力を待たずして
原子力を持たずして

アラゴンについて

243頁6行　**個人的《オリジナル》な**　個人的な

244頁3行　安定してをり、　安定してをり、　※現代表記の「**おり**」に訂正

244頁15行　**少くなる**　少なくなる

現代詩時評

252頁6行　本誌五月号　本誌五月号　※全体の統一のため**「現代詩」五月号**

254頁1行　**創造の皿の中**　創造の血の中

255頁2行　本誌七月号　**「現代詩」七月号**

260頁17行　本誌八月号　「現代詩」八月号（一九五五）

※全体の統一のため**「現代詩」八月号**

262頁3行　本誌八月号　**「現代詩」八月号**

262頁14行　**永瀬のいうように**　永瀬のように

流浪のための定着

264頁11行　**野獣派《フォーヴ》風な**　野獣派風

265頁1行　**詩論そのものも**　議論そのものも

265頁11行　**羊飼いの小舎！ぼくは**　羊飼いの小舎ぼくは

ある博物誌の一節

272頁4行　**貧農の特長を**　　貧農の特徴を

機関車から詩集までのちいさなスリップ

287頁1行〔初出未確認〕　機関庫から詩集までのちいさなスリップ

※初刊目次および本文から「**機関車**」と訂正

（作成　坂口博）

谷川雁（たにがわ・がん）

1923年12月熊本県水俣市生まれ。
45年　東京大学文学部社会学科卒業。8カ月の従軍。
54年　『大地の商人』（詩集、母音社）
56年　『天山』（詩集、国文社）
58年　『原点が存在する』（弘文堂）
森崎和江、上野英信、石牟礼道子らと「サークル村」を福岡県中間市で創刊。
59年　『工作者宣言』（中央公論社）
60年　『谷川雁詩集』（国文社）
中間市の大正炭坑を拠点に大正行動隊を組織。
61年　『戦闘への招待』（現代思潮社）
吉本隆明、村上一郎と「試行」創刊。
62年　山口健二、松田政男らと「自立学校」設立。吉本隆明、埴谷雄高らとともに講師をつとめる。
63年　『影の越境をめぐって』（現代思潮社）
65年　幼少年のための外国語教育機関「ラボ教育センター」創設。
81年　「十代の会」主宰。
82年　「ものがたり文化の会」主宰。
83年　『意識の海のものがたりへ』（日本エディタースクール出版部）
84年　『無の造型　60年代論草補遺』（潮出版社）
85年　『海としての信濃　谷川雁詞集』（深夜叢書社）
『賢治初期童話考』潮出版社）
89年　『ものがたり交響』（筑摩書房）
92年　『極楽ですか』（集英社）
95年　『北がなければ日本は三角』（河出書房新社）
『幻夢の背泳』（河出書房新社）
2月病没。

坂口博（さかぐち　ひろし）

1953年佐賀県伊万里市生まれ。福岡県立東筑高校卒業後、いくつかの職を経て、92年より福岡市の出版社・創言社編集人。滝沢克己・キェルケゴールなどの哲学および文学書の出版に携わる。2013年退職。現在は火野葦平や「サークル村」関係などの文学研究と文学館活動に専念。文学批評誌「敍説」同人。著書『校書掃塵──坂口博の仕事Ⅰ』（花書院）、共編著『「サークルの時代」を読む』（影書房）、共著『活字メディアの時代』（福岡市・新修「福岡市史」特別編）『〈原爆〉を読む文化事典』（青弓社）。福岡県福津市在住。

＊本書は、一九五八年一二月に弘文堂より刊行された単行本を底本とし、初出誌紙と校合したものである。その詳細は解題および校異を参照のこと。

原点《げんてん》が存在《そんざい》する
著者　谷川雁《たにがわがん》
二〇二二年八月二〇日　第一刷発行
発行所　有限会社月曜社
発行者　神林豊
〒一八二―〇〇〇六　東京都調布市西つつじヶ丘四―四七―三
電話　〇三―三九三五―〇五一五（営業）／〇四二―四八一―二五五七（編集）
FAX　〇四二―四八一―二五六一
http://getsuyosha.jp/
装画　千田梅二
装幀　町口覚
編集　神林豊＋阿部晴政
編集協力　小原佐和子
印刷・製本　モリモト印刷株式会社

ISBN978-4-86503-145-4　C095